Alain de Botton é autor de dez livros best-seller, incluindo *Como Proust pode mudar sua vida* e *Consolações da filosofia*. É fundador de Living Architecture, uma empresa social que coordena a construção de casas de férias pelo Reino Unido, com projetos assinados por renomados arquitetos. Também é fundador de The School of Life, que idealizou esta série. Para mais informações, acesse: www.alaindebotton.com.

The school of life se dedica a explorar as questões fundamentais da vida: Como podemos desenvolver nosso potencial? O trabalho pode ser algo inspirador? Por que a comunidade importa? Relacionamentos podem durar uma vida inteira? Não temos todas as respostas, mas vamos guiá-lo na direção de uma variedade de ideias úteis – de filosofia a literatura, de psicologia a artes visuais – que vão estimular, provocar, alegrar e consolar.

A marca FSC® é a garantia de que a madeira utilizada na fabricação do papel deste livro provém de florestas que foram gerenciadas de maneira ambientalmente correta, socialmente justa e economicamente viável, além de outras fontes de origem controlada.

Como pensar mais sobre sexo

Alain de Botton

Tradução: Cristina Paixão Lopes

1ª reimpressão

Grafia atualizada segundo o Acordo Ortográfico da Língua Portuguesa de 1990, que entrou em vigor no Brasil em 2009.

Título original
How to Think More About Sex

Capa
Adaptação de Trio Studio sobre design original de Marcia Mihotich

Projeto gráfico
Adaptação de Trio Studio sobre design de seagulls.net

Revisão
Tamara Sender
Beatriz Sarlo
Eduardo Carneiro

Editoração eletrônica
Trio Studio

Impressão e acabamento
Geográfica

CIP-BRASIL. CATALOGAÇÃO NA FONTE
SINDICATO NACIONAL DOS EDITORES DE LIVROS, RJ

D339c

De Botton, Alain
Como pensar mais sobre sexo / Alain de Botton; tradução de Cristina Paixão Lopes. – 1ª ed. – Rio de Janeiro: Objetiva, 2012.
(The school of life)

Tradução de: *How to think more about sex*

152p. ISBN 978-85-390-0391-4

1. Sexo. 2. Sexo - Aspectos sociais. 3. Casamento. 4. Amor. I. Título. II. Série.

12-4813.
CDD: 306.7
CDU: 392.6

[2018]

EDITORA SCHWARCZ S.A.
Praça Floriano, 19, sala, 3001 – Cinelândia
20031-050 – Rio de Janeiro – RJ
Telefone: (21) 3993-7510
www.companhiadasletras.com.br
www.blogdacompanhia.com.br
facebook.com/editoraobjetiva
instagram.com/editora_objetiva
twitter.com/edobjetiva

Sumário

I. Introdução

I.

É raro passarmos pela vida sem sentir – em geral com um tanto de agonia secreta, talvez ao fim de um relacionamento, ou deitados na cama junto ao nosso parceiro, frustrados, sem conseguir dormir – que somos um pouco esquisitos em relação ao sexo. É nessa área que a maioria de nós tem a dolorosa impressão, no nosso mais íntimo, de ser bastante incomum. Apesar de ser um dos atos mais privados, o sexo é cercado por uma série de ideias poderosas que nos sugerem quão normais as pessoas deveriam se sentir e lidar com a questão.

No entanto, na verdade, a maior parte de nós não é nem de longe normal quando se trata de sexo. Somos quase todos perseguidos pela culpa e neurose, pela fobia e por desejos perturbadores, pela indiferença e aversão. Não nos aproximamos do sexo como deveríamos, com uma perspectiva alegre, esportiva, não obsessiva, constante, bem-ajustada com a qual nos torturamos ao acreditar que outras pessoas possuem. Somos universalmente pervertidos – mas apenas em relação a ideais de normalidade altamente equivocados.

Considerando o quanto é normal ser estranho, é lamentável que as realidades da vida sexual raramente consigam chegar à esfera pública. Se quisermos que alguém pense bem de nós, é impossível comunicar-lhes a maior parte do que somos sexualmente. Homens e mulheres apaixonados instintivamente partilharão apenas uma fração de seus desejos por medo, em geral justificado, de gerar uma repulsa intolerável em seus parceiros. Achamos mais fácil morrer sem ter certas conversas.

A prioridade de um livro filosófico sobre sexo parece evidente: não é para nos ensinar como desfrutar de um sexo mais intenso ou regular, mas para nos mostrar como, por meio de uma linguagem simples, podemos começar a nos sentir um pouco menos estranhos em relação ao sexo que queremos ter ou que nos esforçamos para evitar.

2.

Quaisquer desconfortos que sentimos em relação ao sexo são geralmente agravados pela ideia de que pertencemos a uma geração livre – e que, em consequência disso, deveríamos, a esta altura, pensar no sexo como um assunto simples e sem complicações.

O discurso padrão sobre a libertação de nossos grilhões é mais ou menos assim: por milhares de anos em todo o mundo, por conta de uma diabólica combinação de fanatismo religioso e costumes sociais pedantes, as pessoas eram atormentadas por uma injustificada sensação de confusão e pecado em torno do sexo. Achavam que as mãos cairiam se se masturbassem. Acreditavam que poderiam ser queimados em um barril de óleo por terem olhado para o tornozelo de alguém. Não tinham a menor ideia do que eram ereções ou clitóris. Eram ridículas.

Então, em algum momento entre a Primeira Guerra Mundial e o lançamento do *Sputnik* I, as coisas mudaram para melhor. Finalmente as pessoas começaram a usar biquínis, admitiram que se masturbavam, conseguiram mencionar em contextos sociais o sexo oral feminino, começaram a assistir a filmes pornôs e passaram a se sentir profundamente à vontade com um tópico que, quase inexplicavelmente, tinha sido fonte de desnecessária frustração neurótica durante a maior parte da história humana. Ser capaz de começar uma relação sexual com confiança e satisfação tornou-se uma expectativa tão comum para a era moderna quanto o medo e a culpa tinham sido em eras anteriores. O sexo passou a ser percebido como um passatempo útil, revigorante e fisicamente restaurador, um pouco como o tênis – algo que todos deveriam praticar tão frequentemente quanto possível para aliviar os estresses da vida moderna.

Esse discurso de esclarecimento e progresso, por mais lisonjeiro que possa ser para nossas capacidades racionais e sensibilidades pagãs, contorna convenientemente um fato intransponível: que o sexo é algo em relação ao qual podemos esperar nos sentir *livres*. Não foi mera coincidência o sexo ter nos perturbado por milhares de anos. Afirmações religiosas repressivas e tabus sociais surgiram de aspectos de nossa natureza que não podem desaparecer de uma hora para outra. Fomos incomodados pelo sexo porque ele é uma força fundamentalmente perturbadora, opressora e louca, em profundo conflito com a maioria de nossas ambições e incapaz de ser bem integrada na sociedade civilizada.

Apesar de nossos melhores esforços para eliminar suas peculiaridades, o sexo jamais será simples ou *bonito* como gostaríamos que fosse. Ele não é fundamentalmente democrático ou gentil e está ligado a crueldade, transgressão e desejo de subjugação e humilhação. Ele se recusa a acomodar-se no topo do amor, como deveria. Por mais que tentemos domá-lo, o sexo tem uma tendência recorrente a causar estragos em nossa vida: nos leva a destruir nossos relacionamentos, ameaça nossa produtividade e nos faz ficar acordados até muito tarde, em boates, conversando com pessoas de quem não gostamos, mas cujas barrigas expostas desejamos desesperadamente tocar. O sexo está em um conflito absurdo, e talvez irreconciliável, com alguns de nossos compromissos e valores mais elevados. Não é de surpreender que não tenhamos outra opção senão reprimir suas exigências a maior parte do tempo. Deveríamos aceitar que o sexo é inerentemente estranho em vez de nos culpar por não reagirmos com mais normalidade a seus confusos impulsos.

Isso não significa dizer que não podemos dar passos para nos tornar mais sábios em relação ao sexo. Apenas devemos saber que nunca vamos superar inteiramente as dificuldades que ele coloca em nosso caminho. Devemos esperar, no máximo, uma respeitável acomodação a uma força anárquica e impulsiva.

3.

Os manuais de sexo, do *Kama Sutra* a *Os prazeres do sexo*, foram unânimes em situar os problemas da sexualidade no âmbito físico. O sexo será melhor – nos asseguram de forma variada – quando dominarmos a posição de lótus, quando aprendermos a usar cubos de gelo com criatividade e quando encontrarmos técnicas para chegarmos juntos ao orgasmo.

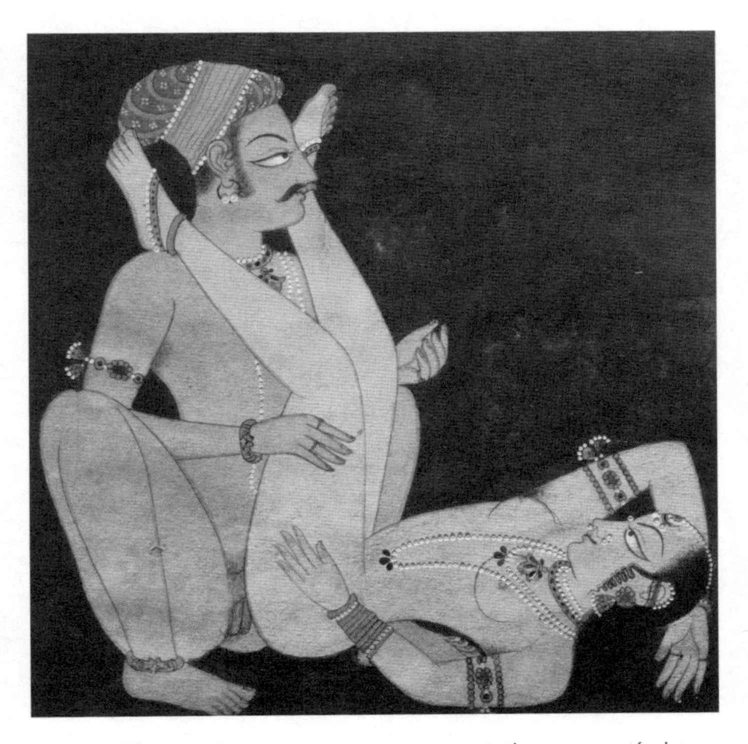

Nossos problemas mais urgentes com o sexo raramente têm a ver com técnica.
Kama Sutra, Índia, final do século XVIII

Se às vezes nos mostramos irritados com esses manuais, talvez seja porque – por trás de sua prosa encorajadora e de seus diagramas úteis – eles são intoleravelmente humilhantes. Querem que levemos a sério a noção de que o sexo é perturbador principalmente porque não tentamos a masturbação anal ou porque não dominamos o método Karezza. No entanto, estas aventuras estão no voluptuoso extremo do espectro da sexualidade humana e debocham dos tipos de desafios que normalmente enfrentamos.

Para a maioria de nós, a verdadeira causa de preocupação não está em como tornar o sexo ainda melhor com um amante que já está entusiasmado para passar várias horas conosco em um divã tentando novas posições, em meio a aromas de jasmim e canto dos pássaros. Na verdade, nos preocupamos sobre como o sexo com nosso parceiro de longa data está problemático devido a ressentimentos ligados à educação dos filhos e ao dinheiro, ou ao do nosso vício em pornografia na internet, ou porque só desejamos o sexo com pessoas que não amamos ou porque tivemos um caso com alguém no trabalho e com isso partimos permanentemente o coração e a confiança de nosso parceiro.

4.

Diante desses problemas e de muitos outros, talvez questionemos nossas expectativas sobre a frequência que podemos esperar que o sexo seja bom para nós – e, contrariamente ao espírito de hoje em dia, podemos concluir que um limite justo e natural para nossas ambições talvez seja umas poucas vezes ao longo de toda a nossa vida. Assim como a felicidade, uma noite maravilhosa de sexo talvez seja uma preciosa e sublime exceção.

Durante nossos melhores encontros, raramente percebemos quanto somos privilegiados. Somente quando ficamos mais velhos e relembramos, repetida e nostalgicamente, alguns poucos episódios eróticos, começamos a nos dar conta da mesquinhez com que os deuses do sexo nos lançam suas dádivas – e, portanto, que uma noite maravilhosa de sexo é realmente uma extraordinária e rara façanha da biologia, da psicologia e do *timing*.

Durante a maior parte de nossa vida, o sexo parece fadado a ser objeto de desejo e constrangimento. O que quer que alguns manuais de sexo possam prometer, não há solução para a maioria dos dilemas criados pelo sexo. Um livro de autoajuda útil sobre este tema deveria então se concentrar em administrar dor, não em eliminá-la totalmente; deveríamos esperar encontrar uma versão literária de um hospício, e não de um hospital. No entanto, embora não possamos esperar que livros resolvam nossos problemas, eles podem oferecer oportunidades para descarregarmos nossa tristeza e encontrarmos uma confirmação de que nossas aflições são comuns a outras pessoas. Livros têm a função de nos consolar com a lembrança de que não estamos sós nas humilhantes e peculiares dificuldades impostas pelo fato inevitável de que possuímos desejo sexual.

II. Os prazeres do sexo

I. Erotismo e solidão

I.

Antes de refletirmos sobre os muitos problemas que o sexo nos traz, vale a pena desviar para o lado oposto e considerar a questão – não tão óbvia como pode parecer – de por que o sexo deveria, em raras ocasiões, ser uma atividade tão profundamente prazerosa e gratificante.

Na medida em que nossa época está interessada nesse tópico, ela tende a propor uma explicação geral que deriva da biologia evolutiva. Essa disciplina, onipresente no mundo moderno, nos diz que os seres humanos, como todos os outros animais, são geneticamente programados para se reproduzirem e precisam dos prazeres do sexo como uma recompensa para o enorme esforço de se juntar a um parceiro e com ele criar os filhos.

Segundo a biologia evolutiva, o que achamos sexy é, na realidade, apenas um reflexo de algo que dará continuidade à espécie. Podemos nos sentir atraídos para a inteligência porque ela nos indica uma qualidade importante para garantir a sobrevivência de nossos jovens. Gostamos de ver pessoas dançando bem porque isso indica um vigor que será útil para proteger a próxima geração. O que a sociedade chama de pessoa "atraente" é, na realidade, alguém cuja intuição inconsciente será boa no combate a infecções e entrará em trabalho de parto sem complicações.

A tese da biologia evolutiva claramente não está errada. No entanto, é obtusa, desconectada de nossas efetivas experiências com o sexo – e, no fim das contas, meio entediante. Embora ela consiga explicar por que o sexo existe, nem ao menos começa a esclarecer nossas motivações conscientes para querer dormir com certas pessoas ou sobre a variedade de prazeres que extraímos dele. A biologia evolutiva pode nos apresentar uma motivação geral para nossas ações, mas não desenvolve nenhuma das motivações que efetivamente tenhamos em mente quando convidamos alguém para jantar e, mais tarde, tentamos desabotoar seu jeans no sofá – e, portanto, não oferece um relato satisfatório de por que o sexo deveria realmente importar para nós como seres humanos reflexivos.

2.

Em busca de uma explicação com a qual possamos nos identificar mais diretamente, podemos começar focando em um momento particular no ritual de namoro que dificilmente é evocado (mesmo anos depois) sem uma sensação única de excitação: a primeira vez que beijamos e, portanto, admitimos física e abertamente nossa atração por determinada pessoa.

Pode ter sido dentro de um carro após um longo jantar durante o qual mal nos atrevemos a comer. Ou no corredor, no fim de uma festa, ou de repente, antes de nos despedirmos numa estação de trem, sem qualquer preocupação com os muitos passageiros pressionando de todos os lados. Podemos não ser brilhantes na maneira de falar, mas quando descrevemos o modo como nos encontramos e os momentos que antecederam nosso primeiro beijo, raramente somos enfadonhos.

Esse primeiro momento, que decisivamente nos transforma de relativos estranhos em pessoas com uma intimidade sexual, nos excita porque marca uma superação da solidão. Nosso prazer não tem a ver apenas com o estímulo a terminações nervosas e a satisfação de um impulso biológico. Ele também brota da alegria que sentimos ao emergir, mesmo que brevemente, de um isolamento em um mundo frio e anônimo.

Passamos a conhecer bem esse isolamento após o fim da infância. Se tivermos sorte, nosso início nesse mundo é confortável, em um estado de união íntima física e emocional com alguém que cuida de nós. Nós nos deitamos nus sobre sua pele, ouvimos seu batimento cardíaco, podemos sentir o prazer em seus olhos ao nos ver fazendo nada mais do que bolinhas de cuspe – em outras palavras, nada mais do que simplesmente existindo. Podemos bater a colher contra a mesa e provocar gargalhadas. Nossos dedos são acariciados e nossos finos cabelos, afagados, cheirados e beijados. Não precisamos nem falar. Nossas necessidades são cuidadosamente interpretadas; o seio está lá quando precisamos dele.

Então vem o outono. O mamilo é retirado. Somos encorajados alegremente a passar para o arroz e para pedacinhos de frango seco. Nosso corpo deixou de agradar ou não pode ser mostrado com a mesma naturalidade. Passamos a ter vergonha de nossas particularidades. Cada vez mais partes de nosso exterior já não devem ser tocadas pelos outros. Começa com os genitais, passa para a barriga, a nuca, as orelhas e axilas... até que tudo o que podemos fazer ou receber é dar um abraço ocasional em alguém, apertar as mãos ou dar beijinhos no rosto.

Os sinais de satisfação dos outros pela nossa existência diminuem e seu entusiasmo passa a estar ligado a nosso desempenho. Agora, o que importa é o que *fazemos*, e não o que *somos*. Nossos professores, antes tão entusiasmados com nossos desenhos de joaninhas e nossos rabiscos das bandeiras do mundo, passam a se interessar apenas pelo nosso resultado nas provas. Pessoas bem-intencionadas sugerem brutalmente que está na hora de começar a ganhar nosso próprio dinheiro, e a sociedade passa a ser boa ou má conosco de acordo com o nosso êxito nessa tarefa. Começamos a ter de medir nossas palavras e cuidar de nossa aparência. Há aspectos de nossa aparência que nos revoltam e aterrorizam, e que achamos que precisamos esconder dos outros, gastando dinheiro em roupas e cortes de cabelo. Tornamo-nos criaturas desajeitadas, de movimentos pesados, vergonhosas e ansiosas. Tornamo-nos adultos, definitivamente expulsos do paraíso.

Mas, no fundo, não esquecemos as necessidades com as quais nascemos: sermos aceitos, independentemente de nossos feitos, sermos amados por meio de nossos corpos, sermos recebidos nos braços de alguém, agradarmos pelo cheiro de nossa pele – todas essas necessidades inspiram nossa busca interminável e apaixonadamente idealista por alguém para beijar e com quem dormir.

3.

Vamos imaginar algumas etapas incrementais na história de um casal seduzindo-se pela primeira vez – e, assim, analisar seus prazeres em relação a esta tese sobre a solidão. Vamos imaginar o casal em um café, às onze da noite de um sábado, numa cidade grande, tomando sorvete depois de assistir a um filme.

Há uma explicação biológica para a excitação sexual que esse casal está sentindo, relacionada a uma narrativa inconsciente sobre reprodução e genética, mas o homem e a mulher também se excitam pela superação de muitas barreiras à intimidade que existem na vida normal – e é nesta dimensão que podemos nos focar para explicar a maior parte do erotismo que eles vão experimentar a caminho do quarto.

O beijo – Aceitação

Com a colher na mão, a mulher fala sobre as férias que passou recentemente na Espanha com sua irmã. Em Barcelona, foi a um pavilhão projetado por Mies van der Rohe e a um restaurante especializado em frutos do mar com influência marroquina. Ele pode sentir a perna dela ao lado da sua, em particular a elasticidade de sua meia-calça preta que afunila na altura da bainha de uma saia cinza e amarela. Enquanto ela fala, em meio a uma anedota sobre Gaudí, ele move o rosto para junto do dela, alerta a qualquer sinal de medo ou desagrado. Mas para seu arrebatamento, ele detecta apenas um sorriso suave e receptivo. A mulher fecha os olhos e os dois registram nos lábios a combinação única e inesperada de umidade e pele.

O prazer do momento só pode ser compreendido quando consideramos seu contexto mais amplo: a esmagadora indiferença contra a qual qualquer beijo se coloca. Nem é preciso dizer que a maioria das pessoas que encontramos não apenas não está interessada sexualmente em nós, mas sente-se absolutamente avessa à ideia.

Não temos escolha senão manter uma distância de 60, ou melhor, 90 centímetros delas, o tempo todo, para ficar claro que não temos qualquer intenção de invadir seus espaços.

Então vem o beijo. O domínio profundamente íntimo da boca – essa cavidade escura e úmida onde ninguém entra além do nosso dentista, onde nossa língua reina suprema numa área tão silenciosa e desconhecida quanto a barriga de uma baleia – agora se prepara para se abrir a outro. A língua, que não tinha nenhuma expectativa de encontrar um compatriota, aproxima-se timidamente de outro membro de sua espécie com a reserva e a curiosidade de um ilhéu dos mares do sul ante a chegada dos primeiros aventureiros europeus. Recortes e texturas na parte interna das bochechas, antes consideradas apenas pessoais, revelam ter duplicatas. As línguas se cumprimentam numa dança hesitante. Um pode alisar os dentes do outro como se fossem os seus.

Poderia parecer repugnante – e é exatamente essa a questão. Não existe nada erótico que também não seja, com a pessoa errada, repugnante; e é precisamente isso que torna os momentos eróticos tão intensos: na conjuntura exata em que o nojo poderia estar no seu auge, encontramos apenas recepção e permissão. A natureza privilegiada da união entre duas pessoas é selada por um ato que, com outra pessoa, teria horrorizado a ambas.

Por outro lado, se vivêssemos em outra cultura na qual a aceitação fosse assinalada de outras formas – por exemplo, em que um casal que quisesse mostrar um ao outro sinais de afeição comeria junto um mamão ou tocaria os dedos dos pés um do outro –, essas ações também poderiam tornar-se erotizadas. Um beijo é prazeroso por causa da receptividade sensorial de nossos lábios, mas não devemos ignorar o fato de que boa parte de nossa excitação nada tem a ver com a dimensão física do ato: ela decorre da simples constatação de que alguém gosta muito de nós, uma mensagem que nos encantaria mesmo que fosse passada por outro meio. Por trás do beijo em si, é seu significado que nos interessa – motivo pelo qual a necessidade de beijar alguém pode ser decisivamente reduzida (como talvez seja necessário, por exemplo, quando dois amantes já são casados com outras pessoas) por uma declaração desse desejo – uma confissão que pode ser por si só tão erótica que torna o beijo supérfluo.

O despir – Um fim à vergonha

O casal vai para o apartamento dela em uma parte da cidade que ele não conhece bem e sobe silenciosamente até o terceiro andar. Dentro do apartamento, as cortinas estão abertas e o quarto está iluminado pela luz amarelada da rua. Eles se beijam mais uma vez ao lado do armário da cozinha e agora são encorajados pela privacidade. Ele abre os fechos da blusa bege dela; ela desabotoa a camisa azul dele. Seus movimentos tornam-se mais impacientes. Ele alcança a parte de trás do sutiã dela e começa desajeitadamente a tentar soltá-lo. Com um sorriso indulgente ante a sua inépcia, ela o ajuda. Alguns minutos depois, eles se olham nus pela primeira vez, acariciando delicadamente as coxas, nádegas, ombros, estômagos e mamilos um do outro.

Não é coincidência que no Gênesis uma das principais punições de Deus a Adão e Eva em sua expulsão do Paraíso tenha sido a sensação de vergonha física. A divindade judaico-cristã decreta que estes dois ingratos devem se sentir eternamente constrangidos em expor seus corpos. Seja o que for que pensemos das origens bíblicas da vergonha corporal, é evidente que usamos roupas não apenas para nos aquecer, mas em grande parte por medo de que nosso corpo provoque repulsa nos outros. Nossos corpos nunca são exatamente como gostaríamos que fossem. Mesmo nos momentos mais sedutores e atléticos da juventude, é raro não termos uma longa lista de coisas que gostaríamos de mudar. No entanto, a ansiedade é mais profunda e existencial do que um desagrado cosmético. Há algo fundamentalmente constrangedor em revelar a uma testemunha qualquer tipo de corpo adulto nu – ou seja, um corpo capaz de fazer sexo.

Não foi sempre assim. A vergonha começa na adolescência. Quando nos tornamos aptos a fazer sexo, nossos corpos também correm o risco de parecerem obscenos diante dos olhos errados. Começa a haver uma divisão entre o nosso eu comum e público e nosso eu sexual e privado. Boa parte de quem somos como adultos, desde nossas fantasias sexuais até nossas pernas abertas, torna-se impossível de ser revelada a quase todos que conhecemos.

Voltemos ao nosso amante masculino, que nesse momento chupa apaixonadamente os dedos de sua parceira. Para ele, a divisão dos eus e a sensação de vergonha começaram em meados dos seus 14 anos. Um mês ele se sentia feliz em brincar de índio e caubói no jardim com seu irmão e visitar sua querida vovó; no mês seguinte, tudo o que ele queria era ficar em casa, em seu quarto, com as cortinas fechadas, masturbando-se à lembrança da silhueta de uma mulher que viu a caminho da banca de jornal. Não havia como conciliar seus desejos com o que os outros esperavam dele. Sua idade sugeria que ele talvez desejasse segurar a mão ou beijar uma menina de quem gostasse, mas isto nada tinha a ver com a macabra depravação que se desdobrava diariamente em sua imaginação solta. Em pouco tempo ele estava sonhando com orgias e sexo anal, baixava pornografia pesada e fantasiava amarrar e possuir sua professora de matemática. Como ele poderia ainda ser uma boa pessoa? Em resposta a essa vergonha, desenvolveu um eu interior que temia jamais poder apresentar a alguém.

Algo semelhante havia acontecido à sua parceira, que agora está de joelhos diante dele. Aos 13 anos ela também passou por uma transformação. Antes disso ela gostava de bordado, de andar a cavalo e de fazer bolo de banana. Então, de repente, todos os seus passatempos passaram a ocupar cada vez menos tempo em sua vida e deram lugar a ir ao banheiro, trancar a porta, deitar no chão, tirar as calças e ver-se masturbando no espelho de corpo inteiro. Como uma atividade assim poderia se ajustar ao que outras pessoas sabiam dela? Será que alguém poderia aceitá-la na totalidade? Nos momentos exaustos e cheios de culpa após o orgasmo, ela conheceu um pouco da dor da Eva de Masaccio, expulsa do Paraíso por uma divindade punitiva.

Portanto, o que agora acontece com o nosso casal no quarto é um ato de mútua reconciliação entre dois eus sexuais secretos, finalmente emergindo da pecaminosa solidão. O casal silenciosamente concorda em não mencionar a estonteante estranheza de suas formas físicas e desejos carnais; eles aceitam, sem qualquer vergonha, o que antes era vergonhoso. Admitem por meio de suas carícias que são atraídos a direções incomuns, porém compatíveis. O que estão fazendo é absolutamente oposto ao comportamento que o mundo civilizado espera deles – choca-se, por exemplo, com a lembrança de seus avós – mas já não parece perverso ou incomum. Finalmente, na semiescuridão, o casal pode confessar as muitas maravilhas e insanidades que o fato de terem um corpo os leva a querer.

Durante o sexo, vamos (brevemente) para o outro lado.
Masaccio, *A expulsão de Adão e Eva do paraíso*, c. 1427.

Excitação – Autenticidade

Eles se deitam na cama e acariciam-se ainda mais. Ele leva a mão para o meio das pernas dela e faz uma delicada pressão, percebendo, com intensa alegria, que ela está molhada. Ao mesmo tempo, ela o toca e fica satisfeita de forma equivalente ao sentir a extrema rigidez do pênis.

Se estas duas reações fisiológicas são emocionalmente tão satisfatórias (o que significa, simultaneamente, tão eróticas) é porque sinalizam um tipo de aprovação que está totalmente além da manipulação racional. Ereções e lubrificações simplesmente não podem ser estimuladas somente pela força de vontade e são, portanto, indícios de interesse particularmente verdadeiros e honestos. Em um mundo em que falsos entusiasmos são frequentes, em que é muitas vezes difícil dizer se as pessoas estão nos dizendo a verdade ou se estão sendo delicadas apenas por educação, a vagina molhada e o pênis rígido funcionam como agentes inequívocos de sinceridade.

Essas reações involuntárias são tão prazerosas que, depois de fazer amor, nosso casal voltará a discuti-las em relação à primeira parte da noite, no café. Ele perguntará, com o olhar um pouco malicioso, se ela já estava molhada durante a história de sua ida a Barcelona, com sua irmã. E ela responderá, com um sorriso, que sim, claro que estava, o tempo todo, desde o momento em que se sentaram para pedir suas bebidas e seus sorvetes. Ele, por sua vez, confessará que seu pênis estava duro dentro das calças – produzindo uma nova onda de excitação mútua ante a ideia de que, por trás de sua conversa sensata, seus corpos já estavam experimentando um desejo que antecedia radicalmente suas interações sociais superficiais.

Os momentos em que o sexo domina nosso ser racional costumam ser altamente eróticos. Daqui a algumas semanas, nosso casal irá para o litoral passar o fim de semana. No sábado à noite, no hotel, depois de um dia de sol e banhos de mar, eles se deitarão juntos e começarão a conversar e, eventualmente, o assunto sobre fantasias sexuais irá surgir. Ambos admitirão que gostam muito de uniformes. Ele revelará quanto gosta da ideia de um recatado avental branco numa enfermeira séria e austera; ela lhe dirá – com um sorriso provocador enquanto olha para fora da janela – que às vezes se sente excitada por homens em elegantes ternos de lã, em particular o tipo de jovens executivos bem-vestidos que parecem concentrados e sérios ao caminharem pelas ruas da cidade, carregando suas pastas e exemplares do *Financial Times*.

O erotismo de uniformes como esses parece brotar da lacuna entre o controle racional que eles simbolizam e o desejo sexual que pode, momentaneamente, mesmo que na fantasia, ganhar vantagem sobre ele. Claro que, na maior parte do tempo, quando as pessoas conversam conosco – de médicos e enfermeiras a gerentes de investimento e contadores –, elas não estão molhadas ou com ereções; elas quase não nos notam e com certeza não estão dispostas a interromper um procedimento médico ou atrasar uma teleconferência por nossa causa. Essa indiferença profissional pode ser dolorosa e humilhante para nós. Daí o poder peculiar da fantasia de que a vida pode ser virada de cabeça para baixo e suas prioridades normais podem ser revertidas. Em nossos jogos sexuais, podemos reescrever o roteiro: agora a enfermeira deseja tanto fazer amor conosco que se esquecerá totalmente de que está ali para tirar uma amostra de sangue, assim como o capitalista, pela primeira vez, deixará de lado toda a sua consideração por dinheiro, tirará os computadores da mesa e nos beijará imprudentemente. Ao transarmos apaixonadamente em uma cabine de banheiro de um hospital imaginário ou em um armário, a intimidade, ao menos simbolicamente, prevalece sobre o status e a responsabilidade.

Muitos ambientes formais podem ser inesperadamente eróticos em si mesmos. Assim como os uniformes podem inspirar desejo por seu caráter transgressor, também, pelo mesmo motivo, pode ser excitante imaginar-se fazendo sexo em um canto discreto da biblioteca da universidade, na chapelaria de um restaurante ou em um vagão vazio de trem. Nossa transgressão insolente pode nos dar uma sensação de poder que vai além do puramente sexual. Transar no fundo de um avião cheio de viajantes executivos é experimentar inverter a hierarquia normal das coisas, é tentar introduzir o desejo em um ambiente onde a fria disciplina geralmente predomina sobre os nossos desejos. A 10 mil metros de altura, assim como no escritório, a vitória da intimidade parece maior, e nosso prazer aumenta na mesma proporção. Dizemos que o cenário no banheiro do avião é "sexy", mas o que realmente queremos dizer é que estamos excitados por termos superado um tipo de alienação do contrário opressiva.

O erotismo é, portanto, manifesto de forma mais clara na interseção entre o formal e o íntimo. É como se precisássemos ser lembrados das convenções para apreciar de maneira adequada as maravilhas de se estar desprevenido ou para continuar a ultrapassar os limites do nosso ser vulnerável a fim de sentir com real intensidade as qualidades especiais do local ao qual nos foi permitido acesso. Isso explica o apelo das lembranças da nossa primeira noite com alguém, quando os contrastes eram mais nítidos. Por outro lado, mais tristemente, também explica a falta de erotismo que sentimos numa praia de nudismo ou com um parceiro de longa data que se esquece de esconder sua nudez contra os constantes perigos de nossa predatória ingratidão.

Um lugar promissor para fazer amor.

Brutalidade – Amor

Enquanto fazem amor, a mulher faz com que o homem saiba, daquela maneira sutil, quase sem palavras, com que os amantes às vezes se comunicam, que ela gostaria que ele puxasse seus cabelos. A princípio ele hesita. Não lhe parece uma coisa "legal" de fazer, mas está claro que ela já não está mais interessada em nenhuma definição padrão desse termo. Então ele toma seus fios castanhos nas mãos e puxa-os brutalmente ao ritmo do ato sexual. Encorajado por seu entusiasmo, ele se atreve a insultá-la, em parte porque sente muita ternura por ela. Com igual afeição, e tomada de excitação, ela o chama de canalha, de intruso monstruoso e degradante. Ele a agarra agressivamente pelos ombros. No dia seguinte haverá marcas visíveis de arranhões nas costas dela.

A vida cotidiana exige continuamente que sejamos educados. Em geral não conseguimos ganhar o respeito ou a afeição de ninguém sem reprimir severamente tudo o que é ostensivamente "mau" dentro de nós: nossa agressividade, nossa negligência, nosso impulso para a ganância e nosso desdém. Não podemos pertencer à sociedade e, ao mesmo tempo, mostrar o completo espectro do que pensamos e sentimos. Daí o interesse erótico que sentimos (que é, na realidade, uma satisfação emocional, quando o sexo permite que nosso eu secreto seja testemunhado – e então endossado.

Na presença de alguém extraordinariamente confiante de nossa virtuosidade, atrevemo-nos a partilhar aquilo que normalmente recearíamos mostrar e do qual nos envergonharíamos. Usamos linguagem e gestos que no mundo exterior nos rotulariam de tarados. Pode ser um sinal de amor poder esbofetear alguém com força ou colocar nossas mãos vigorosamente no seu pescoço. Com isso nosso parceiro está nos dizendo que ele está convencido de que somos essencialmente honrosos. Para ele não importa que tenhamos um lado sombrio; como um pai ideal, ele pode ver o todo e nos reconhecer como fundamentalmente bons. Temos a extraordinária oportunidade de nos sentir confortáveis em nossa própria pele quando, graças a um parceiro disposto e generoso, somos convidados a dizer e fazer as piores coisas que podemos imaginar.

Quando estamos na condição de receptor dessa violência e grosseria, talvez encontremos um prazer paralelo, no sentido da força que vem do fato de sermos capazes de decidir por nós mesmos quão insultados, machucados e subjugados podemos ser. Passamos tanto tempo sendo maltratados pelos outros no mundo, há tantas ocasiões em que temos de nos submeter ao desejo malevolente de nossos superiores, na hora em que eles querem, que é profundamente libertador transformar a dinâmica do poder numa performance teatral própria, conseguir subjugar alguém em circunstâncias inteiramente de acordo com a sua vontade – e com uma pessoa essencialmente dócil e boa. Resolvemos o medo de nossa fragilidade ao sermos esbofeteados e insultados ao nosso próprio comando, apreciando a impressão de resiliência e poder alcançados ao encontrarmos o pior que alguém pode pensar em nos infligir – e sobrevivermos.

O laço de lealdade de um casal está apto a se aprofundar a cada aumento de brutalidade. Quanto mais acreditamos que nosso comportamento horroriza a sociedade crítica em que normalmente vivemos, mais podemos sentir como se estivéssemos construindo um paraíso de aceitação mútua. Tal brutalidade não faz sentido do ponto de vista biológico e evolutivo; é somente por meio de uma lente psicológica que sermos esbofeteados, semiestrangulados, amarrados a uma cama e quase estuprados começa a fazer sentido: começa a parecer uma prova de aceitação.

O sexo nos libera temporariamente da punitiva dicotomia, bem conhecida para todos nós desde a infância, entre sujo e limpo. O sexo nos purifica ao envolver em sua prática os lados mais aparentemente poluídos do nosso eu em seus procedimentos, e assim os consagra novamente como dignos. A maior prova disso é quando pressionamos nosso rosto, a parte mais pública e respeitável de nós mesmos, ansiosamente contra partes mais privadas e "contaminadas" de nosso amante, beijando, chupando e enfiando a língua um dentro do outro – dando com isso simbolicamente nossa aprovação a seu eu inteiro, assim como um penitente, culpado de tantas transgressões, é aceito de volta ao rebanho da Igreja católica pelo casto beijo na testa dado por um sacerdote.

Fetichismo – Bondade

Nosso casal tem fetiches e, enquanto fazem amor, eles os notam e mesclam à sua crescente excitação. A palavra fetiche está normalmente associada a extremismo, até a patologia, e a certas peças de roupa ou características físicas – como unhas compridas, roupas de couro, máscaras, correntes e meias-calças. No entanto, nenhuma dessas aparece na lista de tendências de nosso casal.

Num sentido clínico, um fetiche é definido como um ingrediente, de natureza tipicamente incomum, que precisa estar presente para que alguém atinja um orgasmo. O mais antigo e mais conhecido pesquisador dos fetiches foi o médico e sexólogo austro-germânico Richard von Krafft-Ebing, que em seu livro *Psychopathia Sexualis*, publicado em 1886, identificou cerca de 230 tipos diferentes de fetiches, entre eles a estigmatofilia (a atração por tatuagens e *piercings*), a lacrimofilia (atração por lágrimas), a podofilia (atração por pés), a estenolagnia (atração por músculos) e a thilpsosis (atração por ser beliscado).

O extremo destes exemplos pode dar a impressão de que apenas os loucos têm fetiches, mas isto, claro, está longe de ser verdade. Os fetiches não precisam ser extremos ou incompreensíveis. Todos nós somos fetichistas de um tipo ou de outro, mas a maioria é branda, sendo capaz de fazer sexo mesmo sem recorrer aos objetos preferidos. Os fetiches são apenas detalhes normalmente relacionados a roupas ou a partes do corpo do outro que evocam lados desejáveis da natureza humana. As origens exatas dos fetiches podem ser obscuras, mas quase sempre podem remeter a um aspecto importante da nossa infância: ou reencontramos em um amante um aspecto atraente de uma figura parental ou, ao contrário, porque de alguma forma nos ajudam a esquecer ou escapar de uma lembrança de humilhação ou terror surgida na infância.

A tarefa de compreender nossas preferências nesse sentido deveria ser reconhecida como parte importante de qualquer projeto de autoconhecimento ou biografia. O que Freud disse sobre os sonhos também se aplica aos fetiches sexuais; eles são uma estrada real para o inconsciente.

O nosso amante masculino tem um fetiche por um estilo específico de sapato. No início da noite, ele notou com considerável excitação que a mulher estava usando um par de delicados mocassins pretos sem salto (do tipo normalmente associado a uma bibliotecária ou estudante, neste caso confeccionados por uma empresa de design italiana, a Marni), e agora, enquanto fazem amor na cama, embora estejam inteiramente nus, ele pergunta se ela os calçaria para aumentar seu prazer.

Para compreender por que ele tem prazer com esses sapatos será preciso invocar todo o seu passado. Sua mãe era uma atriz de sucesso que se vestia com roupas extravagantes e indecentes. Adorava padrões de oncinha, unhas violeta e saltos muito altos. Decididamente, também deixava claro que não gostava muito do filho. Nunca o elogiava nem era carinhosa; dava toda sua atenção à irmã mais velha e aos vários amantes que tinha. Ela não lia histórias para ele na hora de dormir nem tricotava coletes para seus ursinhos de pelúcia. Mesmo agora, adulto, o homem sente-se secretamente aterrorizado diante de mulheres que o fazem lembrar de sua egoísta e antipática matriarca.

Embora sem saber, sua história psicológica é o filtro onipresente através do qual ele olha os sapatos e, por extensão, a mulher que os veste. O encontro de hoje, por exemplo, teria tomado um rumo bastante diferente se sua companheira tivesse chegado num par de sapatos Manolo Blahnik ou Jimmy Choo. Se chegassem a ir para a cama, ele poderia ter ficado impotente. Mas os mocassins eram, e são, perfeitos. Eles concentram as qualidades que ele mais busca numa parceira. Nas duas peças estreitas de couro bem-trabalhado, com 22 centímetros de comprimento, ele detecta a identidade de sua mulher ideal: alguém calma, com bom-senso, contida, decorosa, modesta e com um grau de timidez que se ajuste ao seu próprio. Ele é capaz de fazer amor com a dona do sapato, mas se as circunstâncias pedissem ou permitissem ela sair numa viagem de trabalho, ele conseguiria, e sem dificuldade, atingir o orgasmo com os próprios sapatos.

A mulher, enquanto isso, também tem seus próprios fetiches. Ela adora o relógio do homem: antiquado, de segunda mão, com uma pulseira de couro bem gasta. Ela mantém os olhos fixos no relógio enquanto fazem amor e, em certo ponto, aperta o braço do homem entre suas pernas e sente especial prazer no contato do metal e do vidro contra sua pele. O relógio é do tipo que seu pai costumava usar. Ele era um médico brilhante, delicado e brincalhão, que morreu quando ela tinha 12 anos, deixando um insubstituível buraco em seu coração, e desde então ela tem procurado homens que de alguma forma reúnam seu jeito e seu cheiro. A imagem do relógio faz seus mamilos endurecerem porque envia um sinal subliminar de que ela talvez tenha encontrado um homem que possui algumas das qualidades da pessoa que ela mais admirou no mundo.

Por falar em coisas ao redor dos pulsos, o homem tem outro fetiche nessa área. Depois de beijar a mulher pela primeira vez, notou que ela tinha um elástico ao redor do pulso esquerdo. Krafft-Ebing nunca chegou a discutir isso: não existe ainda nenhum fenômeno reconhecido de elasticofilia – mas isso só mostra o quanto o campo do fetichismo ainda é desconhecido e quanto trabalho os pesquisadores ainda têm a fazer (e quanto trabalho há para os pornógrafos, porque os fetiches que aparecem em sites e filmes pornográficos refletem uma gama restrita de coisas que nos excitam. Ainda há muitos sites a serem criados: para mencionar apenas alguns, sites para pessoas que têm tesão em cardigãs, em pessoas ruborizadas, pessoas dirigindo e pessoas lendo). O homem gosta do elástico porque ele parece ter sido colocado ali num gesto atrevido, casual, andrógino e robusto. O elástico sugere uma pessoa que não se incomoda com os cânones da moda, que se sente interiormente livre o bastante para explorar um objeto de pouco valor. Mais uma vez, ele se excita com algo que o livra da sombra de sua mãe, que só usava joias caras (muitas delas compradas para ela por um homem que não era seu pai).

Há uma interessante explicação para os fetiches encontrada inesperadamente no famoso banquete de Sócrates onde foi discutido o amor, descrito em *O simpósio*, de Platão. Usando Aristófanes como porta-voz, Platão articulou o que veio a se tornar conhecido como a Escada do Amor, que argumenta que tudo aquilo que achamos desejável por meio dos olhos nos leva, finalmente, para longe do meramente visual, do material, a uma categoria mais positiva, conhecida por Platão como "O Bem". Esta escada que conecta o mundo dos objetos ao mundo das ideias e das virtudes pode ser largamente utilizada para resgatar nossos fetiches da deprimente interpretação alternativa que sustenta que eles são triviais e inconsequentes porque *meramente* sexuais. Graças à filosofia de Platão, um par de belos mocassins, um elegante relógio vintage ou um elástico usado casualmente já não precisam ser descartados como insignificantes e incapazes de produzir outra coisa senão irrelevantes pontadas de desejo. Antes, esses e outros fetiches se encontram aos pés de uma escada ligados ao que mais podemos amar em outro ser humano. Eles nos excitam porque são símbolos do Bem.

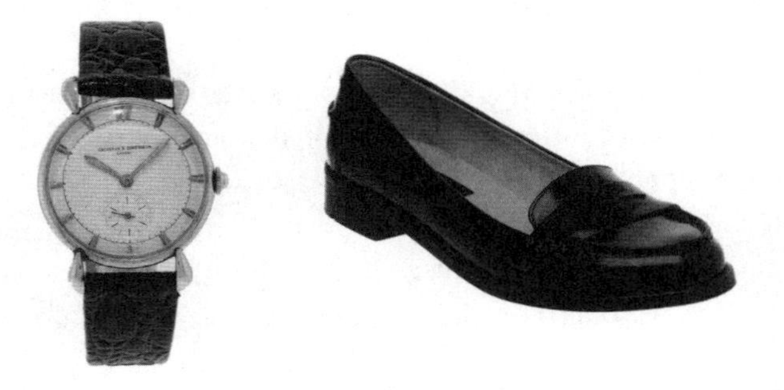

Objetos nos excitam porque são indicadores do Bem.

Orgasmo – Utopia

Os orgasmos que nosso casal representativo acaba por desfrutar nesses primeiros momentos são, portanto, muito mais do que sensações físicas geradas pela fricção e pressão de órgãos sexuais obedecendo a um comando biológico de reprodução da espécie. O prazer do sexo está envolto no reconhecimento e na concessão de um distintivo selo de aprovação dos ingredientes de uma boa vida cuja presença detectamos em outra pessoa. Quanto mais analisamos o que consideramos “sexy”, mais reconhecemos que o erotismo é a sensação de excitação ao encontrar outro ser humano que partilha os nossos valores e a nossa percepção do sentido da existência.

O orgasmo em si é o momento supremo no qual nossa solidão e nossa alienação são momentaneamente superadas. Tudo o que apreciamos em nossos amantes – os comentários que fizeram, os sapatos que estão usando, o humor que emana de seus olhos ou rosto – combinam-se em uma distilação concentrada de prazer que deixa as duas partes incomparavelmente ternas e vulneráveis em relação ao outro.

Existem, é claro, caminhos para o orgasmo que pouco têm a ver com encontrar um propósito comum com outra pessoa, mas eles devem ser entendidos como uma traição maior ou menor do verdadeiro propósito do sexo. Isto explica o sentimento de vazio e solidão que normalmente acompanha a masturbação, bem como a repulsa gerada por casos de bestialidade, estupro e pedofilia – atividades em que o prazer é unilateral e, portanto, sem reciprocidade.

4.

Uma das dificuldades do sexo é que – no quadro mais amplo – ele não dura muito tempo. Mesmo em seus extremos, estamos falando de um fenômeno que pode ocupar apenas raramente duas horas, ou a duração aproximada de uma missa católica.

O ânimo, depois disso, tende a ser deprimido. A tristeza pós-coito normalmente se instala no casal. Pode haver um impulso de um ou ambos para dormir, ler o jornal ou fugir. O problema, em geral, não é o sexo em si, mas o contraste entre sua inerente ternura, violência, energia e hedonismo e os aspectos mais mundanos do resto de nossa vida, o eterno tédio, repressão, dificuldade e frieza. O sexo pode dar um alívio quase insuportavelmente grande aos desafios que enfrentamos. Além disso, com nossa libido gasta, nossos entusiasmos anteriores podem parecer inibidoramente estranhos e desconectados do nosso eu cotidiano e de nossas preocupações triviais. Esforçamo-nos para ser sensíveis, mas um momento antes – é isso mesmo? – estávamos desesperados para chicotear nosso amante. Vivemos contentes num moderno mundo democrático, mas agora mesmo passamos parte da noite dando asas ao nosso desejo de ser um sádico nobre que aprisiona uma donzela numa masmorra medieval.

Nossa cultura nos encoraja a reconhecer bem pouco de quem normalmente somos no ato sexual. Parece um processo puramente físico, sem importância psicológica. Mas, como vimos, o que acontece quando se faz amor está ligado a algumas de nossas ambições mais importantes. O ato do sexo acontece pelo roçar de órgãos, mas a excitação não é uma reação fisiológica grosseira; é um êxtase pelo encontro de alguém que pode ser capaz de solucionar alguns de nossos maiores temores e nos ajudar a construir uma vida em comum calcada em valores partilhados.

2. A sensualidade pode ser profunda?

1.

Dizer que gostamos de alguém porque ele ou ela parecem "sexy" soa como se avaliássemos outro ser humano por critérios insultantementes superficiais. Nossa cultura é rígida nesse ponto: declarar que aprovamos as pessoas somente por sua aparência não cai bem em meios civilizados. Antes de declarar sua preferência por alguém, espera-se que você venha a conhecê-la gradualmente e por meio de palavras; não devemos cair de amores (ou tesão) à primeira vista. Parece uma traição da humanidade alguém julgá-lo principalmente por sua aparência, algo que a pessoa não pode mudar de maneira radical, em vez de seu caráter, que (supostamente) ela pode alterar. Entendemos que as pessoas são constituídas por eus interior e exterior, e privilegiamos o primeiro ao segundo.

No entanto, é difícil negar que nosso invólucro físico tenha um papel extremamente importante em nossos destinos e desejos. O desejo de dormir com certas pessoas pode surgir antes que tenhamos a oportunidade de conhecê-las melhor – isto é, antes de termos a chance de nos sentar com elas e conversar sobre seu caráter, história e interesses. Podemos chamá-las imediatamente de "sexy" a partir de uma fotografia ou de um olhar rápido na rua, e imaginar os prazeres que teríamos ao passar férias com elas não por motivos intelectuais, mas porque são *bonitas*.

Isso é chocante, mas, em um livro sobre sexo, difícil de ignorar. Então, antes de descartarmos todo apelo físico como sem sentido, deveríamos ao menos perguntar o que estamos dizendo quando declaramos que alguém é um tesão só pela aparência. O que é que nos atrai *nelas*? A que exatamente a pessoa atraente está *nos* atraindo?

Mais uma vez, é a biologia evolutiva que nos oferece respostas poderosas e sedutoras. Seguindo sua lógica, somos atraídos para a beleza por uma razão simples e definitiva: ela é uma promessa de saúde. O que chamamos de uma pessoa "bonita", ou, se formos mais informais, uma pessoa "sexy", é, essencialmente, alguém com um forte sistema imunológico e grande vigor físico. Gostamos delas (ou podemos dizer que elas nos dão tesão) porque achamos – àquela maneira intuitiva que a natureza nos concedeu para tomarmos decisões rápidas em situações complexas e urgentes – que com elas temos chances teóricas excepcionalmente boas de produzir filhos saudáveis e resistentes.

Uma impressionante gama de estudos mostra que, quando grupos aleatórios de pessoas ao redor do mundo têm acesso a fotografias de diferentes rostos masculinos e femininos e são convidadas a avaliá-los em termos de beleza, os resultados são surpreendentemente similares em todos os meios sociais e culturais. O consenso vem dos tipos de rosto que consideramos mais atraentes. Desses estudos, os biólogos evolutivos concluem que uma pessoa sexy, de um sexo ou de outro, longe de ser uma noção abstrata e não classificável, é, em essência, alguém cujo rosto é simétrico (isto é, cujos lados direito e esquerdo correspondem perfeitamente) e cujas características são equilibradas, proporcionais e sem distorções.

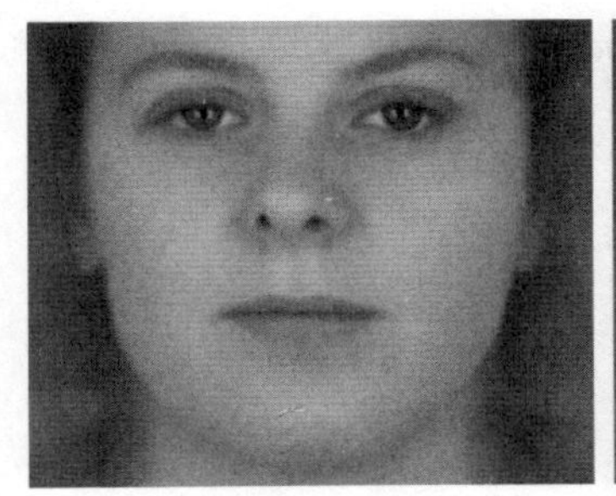
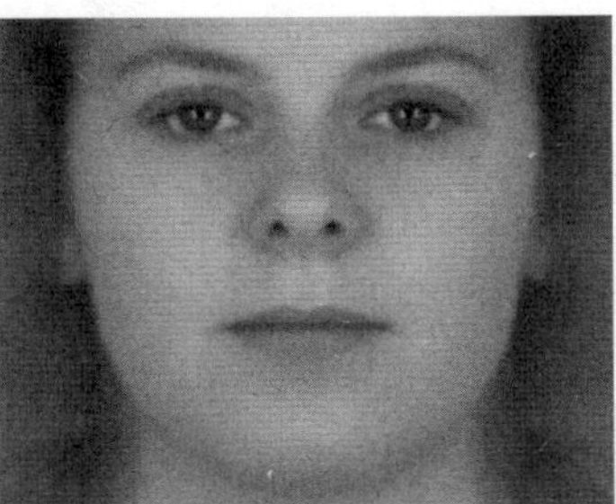

A sensualidade, ao que parece, *não* está no olhar do observador: em um estudo, 97% dos participantes responderam que estavam mais propensos a dormir com a (mais simétrica) mulher da direita.

O rosto do homem à direita tem a quantidade ideal de gordura em relação a altura e peso; na figura à esquerda, o mesmo rosto tem excesso de gordura. O que chamamos de "sensualidade" é sinônimo do que os biólogos chamam de "saúde".

2.

Pode ser um tanto perturbador que alguém preveja com quem gostaríamos de dormir antes mesmo de termos a chance de formar nossa própria opinião. Os experimentos dos biólogos evolutivos parecem um daqueles truques em que um mágico venda nossos olhos e acerta misteriosamente que carta vamos tirar do meio de um conjunto de cartas bem embaralhadas. Mas, ao contrário dos ilusionistas, os biólogos evolutivos não lidam com o sobrenatural; eles argumentam que existem motivos científicos bem-fundamentados por trás de nossa preferência por determinados rostos. A simetria e o equilíbrio são tão importantes para nós porque seus opostos – assimetria facial e desequilíbrio – são indicativos de doenças que teriam ocorrido no útero da mãe ou nos primeiros anos de vida, quando muitos traços de uma pessoa estão sendo moldados. Um feto cujo DNA tenha sido corrompido por micróbios ou que sofreu doses debilitantes de estresse nos primeiros meses de gestação revelará essas adversidades na disposição de suas características. Nossa aparência é um indicador do nosso destino genético.

É difícil contestar o argumento da biologia evolutiva de que para um segmento primitivo de nosso cérebro, obcecado com a sobrevivência, a beleza é a principal marca da saúde. A biologia evolutiva também parece estar correta ao atribuir considerável importância mesmo aos menores aspectos na aparência facial – argumentando, por exemplo, que um milímetro a mais ou a menos em nossas narinas ou entre nossas sobrancelhas pode ter consequências significativas no modo como as pessoas reagem a nós. A disciplina absolve a atração física das acusações de mera superficialidade. Julgamos as pessoas pelas aparências, mas as aparências não são nem um pouco triviais; de fato elas nos direcionam a qualidades relativamente profundas. Sentir-se atraído por alguém é estar fascinado por algum aspecto importante da pessoa; desejo sexual e apreciação da beleza estão interligados a um dos maiores projetos da vida: ter filhos.

3.

No entanto, após um tempo, essa análise dos biólogos evolutivos começa a se esvaziar e torna-se um pouco deprimente, pois parece limitar nosso interesse sexual por outras pessoas a um único critério: quão saudáveis elas parecem ser.

Não é que não devamos nos preocupar nem um pouco com isso. É apenas que, dada a extensão de requisitos imposta por uma vida em comum, nossos sentimentos positivos sobre a aparência de um parceiro em potencial deve ir além de apenas seu bem-estar físico.

O romancista francês Stendhal nos oferece um meio de escapar desse beco sem saída com a máxima "A beleza é a promessa de felicidade". Essa definição tem a vantagem de ampliar nossa percepção de por que podemos achar uma pessoa bonita. Vai muito além de ela parecer saudável: antes, lhe atribuímos o adjetivo porque percebemos em seu rosto uma gama de traços interiores que intuímos ser de algum benefício no estabelecimento de um relacionamento bem-sucedido. Podemos, por exemplo, perceber em sua aparência virtudes tais como determinação, inteligência, confiança, humildade e um senso de humor suavemente subversivo. Se nos é subconscientemente possível encontrar evidências de um forte sistema imunológico pelo formato de um nariz, por que não também identificar nos lábios um sinal de paciência ou, na testa, uma inclinação catártica para rir dos próprios absurdos da vida?

4.

A quantidade de informações contida em nosso rosto torna-se evidente quando estudamos quadros em que pessoas atraentes e que não conhecemos em carne e osso são representadas por grandes pintores. Vejamos, por exemplo, a interpretação de Ingres de uma certa Madame Devaucay. Ela tem, claramente, uma boa aparência – portanto é saudável, segundo a interpretação da biologia evolutiva. Mas, se quisermos explicar seu encanto com algum grau de complexidade, teremos de ir além de dizer que seu DNA está em boa forma. Ela nos intriga, e até pode nos excitar, porque seu rosto sugere uma gama de qualidades além da saúde. Qualidades que (sem pretensão de precisão científica) talvez possam ser traduzidas em palavras, e que talvez desejamos encontrar em um parceiro.

Alguma coisa na boca e no sorriso de Madame Devaucay insinua uma *tolerância carnal*. É fácil acreditar que a essa boca poderíamos dizer quase tudo (que não pagamos os impostos, que fizemos algo ruim na Revolução Francesa, ou que tínhamos preferências sexuais incomuns), e sua dona dá a impressão de que não nos chamaria sutilmente à responsabilidade, não demonstraria surpresa, moralismo nem censura provinciana; saberia quanto nossa alma é capaz de ficar perturbada sem deixar de reivindicar um mínimo de decência. Seu nariz parece o repositório de uma *dignidade* original. De alguma forma indica que ela é privilegiada, mas não mimada,

Mais do que apenas "boa saúde": a sensualidade é uma promessa de felicidade.
Jean-Auguste-Dominique Ingres, *Madame Antonia Devaucay de Nittis*, 1807.

conhecedora do sofrimento, mas propensa a manter a elegância em circunstâncias difíceis. No entanto, seu penteado imediatamente sugere *disciplina* e uma comovente *sensatez*. Ela talvez tenha aprendido a arrumar o cabelo dessa forma na escola do convento, onde certamente era uma das preferidas das bondosas freiras. Quanto a seus olhos, eles denunciam uma sedutora *ousadia*; ela encararia um inquisidor brutal e nunca desviaria o olhar. Ela não abriria mão de crenças nem trairia amigos por conveniência.

Se apreciamos a beleza de Madame Devaucay, certamente não é porque a consideramos saudável, mas porque somos tocados por todo o seu caráter, habilmente transmitido pelas características de um rosto.

Como vários outros notáveis exemplos do gênero, o retrato de Ingres nos ensina que a aparência pode ser portadora de significados autênticos. Pinturas de retratos são instrutivas precisamente porque muito de uma pessoa *está* logo em sua superfície. O eu exterior, corpóreo, nem sempre tem que estar em desacordo com o eu interior, profundo, espreitando abaixo da pele; ambos podem estar integrados e em comunhão. Nosso desejo de dormir com determinadas pessoas porque as achamos fisicamente atraentes não necessariamente significa, portanto, que estamos ignorando quem elas "realmente são". Na verdade, nos excitamos e nos sentimos ávidos a ficar perto de um tipo estimulante de bondade – ou, como observa Stendhal, uma promessa de felicidade – que corretamente percebemos em seus lábios, pele, boca e olhos.

5.

O aspecto psicológico de uma impressão de "sensualidade" é também evidente no contexto das roupas, particularmente na alta-costura. Mais uma vez, do ponto de vista da biologia evolutiva, um desfile de moda pode ser comparado ao tipo de exibição de acasalamento dos pássaros tropicais. Assim como a qualidade da plumagem desses pássaros pode indicar a presença ou ausência de determinados parasitas no sangue e, portanto, comunicar rapidamente uma mensagem sobre a saúde de um potencial parceiro, a moda também pode, ao menos a distância, parecer estar cuidadosamente focada em acentuar sinais de aptidão biológica, especialmente porque estas se manifestam nas pernas, nos quadris, seios e ombros.

No entanto, a moda seria um negócio um tanto unidimensional se nos falasse apenas de saúde. Não haveria as intrigantes diferenças entre os produtos de empresas como Dolce & Gabbana e Donna Karan, Céline e Marni, Max Mara e Miu Miu. Chamar a atenção para a saúde pode ser uma parte da missão da moda, mas num nível mais ambicioso, essa forma de arte também oferece às mulheres roupas que sustentam uma gama de visões sobre o que significa ser uma pessoa interessante e desejável. Em todas as suas infinitas permutações, as roupas transmitem mensagens sobre valores, ética e disposições psicológicas – e as julgamos "bonitas" ou "feias" na medida em que concordamos ou não com as mensagens que elas carregam. Considerar "sexy" uma determinada roupa não é apenas ressaltar a possibilidade de que seu usuário seja capaz de produzir filhos saudáveis, é também um sinal de que nos excitamos com a filosofia de vida que ela representa.

Podemos observar a coleção de qualquer designer em uma dada estação e considerar como ela nos está estimulando a pensar em virtude. A Dior, por exemplo, pode propor que nos lembremos da importância de elementos como artesanato, sociedade pré-industrial e modéstia feminina; Donna Karan poderia estar enfatizando a necessidade de independência, competência profissional e as agitações da vida urbana; e Marni pode estar defendendo a excentricidade, a imaturidade calculada e a política de esquerda.

A excitação é um processo que envolve todo o ser. É um selo de aprovação que damos, por meio de nossos órgãos sexuais, a sugestões surpreendentemente articuladas de como podemos viver.

Marni (esquerda), Dolce & Gabbana (direita). Quando afirmamos que roupas são "sexy", não estamos dizendo apenas que as pessoas que as estão usando parecem saudáveis. Estamos insinuando que gostamos do modo como elas encaram o mundo.

3. Natalie ou Scarlett?

1.

Mesmo percebendo a complexidade por trás do conceito de sensualidade, podemos continuar intrigados pelo modo como pessoas diferentes são atraídas por coisas tão diferentes. Por que não gostamos dos mesmos rostos ou roupas? Por que nossas preferências sexuais são tão variadas?

A biologia evolutiva prediz confiantemente que seremos atraídos a pessoas a partir dos sinais de saúde, mas ela não apresenta nenhuma teoria realmente convincente sobre por que preferiríamos um tipo de pessoa saudável a outro.

2.

Para explicar nossas misteriosamente subjetivas preferências sexuais, podemos começar tentando compreender nossas não menos subjetivas preferências na arte.

Os historiadores da arte há muito se intrigam com o motivo pelo qual as pessoas preferem tão fortemente um artista a outro, mesmo quando ambos são mestres reconhecidos que criaram obras de grande beleza. Por que algumas pessoas adoram Mark Rothko, mas têm um temor instintivo a Caravaggio? Por que algumas rechaçam Chagall, mas admiram Dalí?

Uma resposta altamente sugestiva a este mistério pode ser encontrada num ensaio intitulado "Abstraction and Empathy" [Abstração e empatia], publicado em 1907 pelo historiador de arte alemão Wilhelm Worringer. Worringer argumentou que todos nós crescemos com algo faltando dentro de nós. Nossos pais e o ambiente que nos cerca falham conosco de formas distintas, com isso nosso caráter é moldado com áreas de vulnerabilidade e desequilíbrio. Fundamentalmente, essas falhas determinam o que nos atrairá ou repelirá na arte.

Toda obra de arte carrega dentro de si uma determinada atmosfera psicológica e moral: podemos dizer que certa pintura é serena ou agitada, corajosa ou cuidadosa, modesta ou confiante, masculina ou feminina, burguesa ou aristocrática. Nossas preferências entre essas opções refletem as nossas histórias psicológicas – mais especificamente, o que é vulnerável em nós em consequência de nossa criação. Ansiamos por obras de arte que contenham elementos que compensem nossas fragilidades interiores e nos ajudem a retornar a um meio saudável. Na arte, ansiamos pelas qualidades que estão faltando em nossa vida. Dizemos que uma obra de arte é "bela" quando carrega a dose que falta em nossas qualidades psicológicas e consideramos "feia" aquela que nos remete a elementos que nos ameaçam e nos oprimem.

3.

Para elaborar sua teoria, Worringer propôs que as pessoas calmas, cautelosas e regradas serão frequentemente atraídas para uma arte apaixonada e dramática, e que assim sejam uma compensação para sua sensação iminente de dessecação e esterilidade. Podemos prever que elas

Do que precisaríamos ter medo ou o que nos estaria faltando para chamar isto de "belo"?
Fachada da Igreja de Santa Prisca e São Sebastião, Taxco, México.

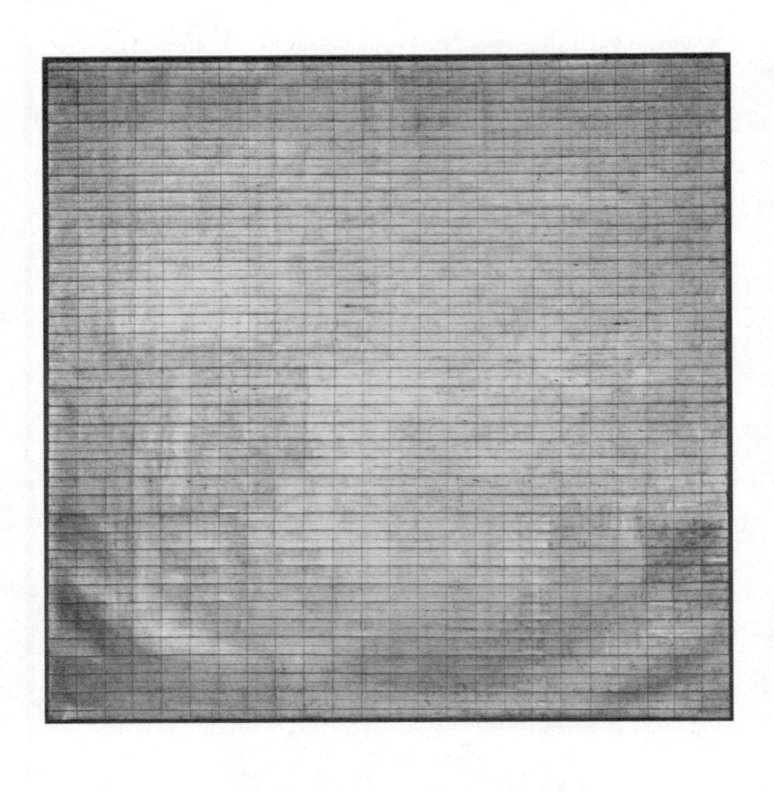

Agnes Martin, *Amizade*, 1963 (esquerda); Michelangelo Caravaggio, *Judite e Holofernes*, 1599 (acima). Ambos são belos, mas precisamos estar em falta de algo um tanto particular para apreciar um ou o outro.

serão altamente suscetíveis, por exemplo, à intensidade da arte latina, admirando o vermelho-sangue sombrio das telas de Goya e as fantasmagóricas formas arquitetônicas do barroco espanhol. Mas é precisamente essa estética arrojada que, de acordo com a tese de Worringer, assustará e desagradará as pessoas cujo contexto de vida as fez ansiosas e muito excitáveis. Essas personalidades agitadas fugirão do barroco e encontrarão muito mais beleza numa arte de calma e lógica. Suas preferências serão mais provavelmente pelos rigores matemáticos das cantatas de Bach, a simetria dos jardins formais franceses e o tranquilo vazio de telas de artistas minimalistas, como Agnes Martin ou Mark Rothko.

4.

A teoria de Worringer permite que nos aproximemos de qualquer obra de arte e nos questionemos sobre o que estaria faltando na vida de uma pessoa para que ela a considere "bela" e também perguntar o que poderia ser assustador a uma pessoa que considera a obra feia. A mesma abordagem pode lançar uma fascinante luz sobre por que achamos certas pessoas sensuais e outras, não.

Assim como na arte, no sexo: aqui também os acidentes da natureza e os equívocos em nossa criação nos levam a chegar à vida adulta em um estado de desequilíbrio, excessivamente dotados em certas áreas, deficientes em outras, ansiosos ou calmos demais, assertivos ou passivos demais, intelectuais ou práticos demais, masculinos ou femininos demais. Então declaramos que uma pessoa é sexy baseados nas evidências que ela demonstra de possuir qualidades compensatórias, assim como somos repelidos por aquelas que parecem aptas a nos conduzir a nossos extremos.

Confrontados por duas pessoas igualmente saudáveis (para este exercício, vamos imaginar as atrizes Natalie Portman e Scarlett Johansson), podemos muito bem sentir, graças à nossa psicobiografia, que apenas uma delas é adequadamente excitante aos nossos olhos. Se tivermos sido traumatizados por pais afetados e não confiáveis, podemos decidir que nas características de Scarlett há uma tendência um pouco excessiva para a emoção e o melodrama. Podemos considerar que as maçãs de seu rosto indicam uma capacidade de autoenvolvimento que já conhecemos o bastante em nós mesmos, e que seus olhos, embora pareçam tranquilos na fotografia que estamos observando, fazem com que ela pareça facilmente capaz de explodir no tipo de raiva destrutiva para a qual já tendemos e que realmente não precisamos reforçar.

Scarlett Johansson (esquerda), Natalie Portman (direita). Por que todas as pessoas saudáveis não são igualmente atraentes para nós? Por que temos preferências individuais tão pronunciadas?

Talvez acabemos preferindo Natalie, embora objetivamente ela não seja mais bonita que Scarlett, porque seus olhos transmitem o tipo de calma da qual necessitamos, mas que não conseguimos o bastante de nossa mãe hipocondríaca. Também podemos nos sentir atraídos pela determinação férrea e prática que detectamos na testa de Natalie, exatamente porque não a temos (estamos sempre perdendo as chaves da casa e nos confundindo sobre como preencher um formulário de seguro). E podemos ser seduzidos por sua boca, porque ela sugere uma reserva e um estoicismo que equilibram perfeitamente nossa dolorosa inclinação para a impetuosidade e a intemperança.

Resumindo, podemos explicar nossas relativas atrações por Natalie ou Scarlett ao observarmos o que está faltando em nós mesmos – assim como podemos explicar nossas preferências pelas pinturas de Agnes Martin ou de Caravaggio ao considerarmos as diferentes e particulares maneiras pelas quais nos tornamos adultos deficientes. Precisamos de arte e sexo para nos tornar inteiros, portanto não é de surpreender que o mecanismo de compensação deva ser semelhante em cada caso. As particularidades do que achamos "belo" e do que achamos sexy são indicativos do que necessitamos para nos reequilibrar.

III. Os problemas do sexo

1. Amor e sexo

1.

Vejamos o seguinte cenário: Tomas, de Hamburgo, está em viagem de negócios a Portland, Oregon, quando conhece Jen. Ambos têm 28 anos e trabalham com informática. Tomas gosta imediatamente de Jen. Conforme a conhece um pouco melhor ao longo de poucos dias, ele ri de suas piadas sobre pessoas com quem ambos trabalham, admira suas estranhas análises políticas e opiniões inteligentes sobre música e filmes. Sente-se um tanto comovido, também, pela ternura que detecta nela: achou delicado quando ela lhe disse, durante o jantar, que ainda telefona para a mãe todos os dias, mesmo quando está viajando, e que seu melhor amigo é seu irmãozinho, que tem 11 anos de idade e adora subir em árvores. Quando um amigo pergunta a Tomas sobre Jen, ele confidencia que a acha muito atraente.

Ela também gosta dele, mas não exatamente da mesma forma. O que ela quer é deitá-lo sobre a colcha roxa de seu quarto de hotel (o Crown Court Inn) e ficar sobre ele. Quer colocá-lo na boca e ver o prazer em seu rosto. Desde que se conheceram, ela tem fantasiado repetidamente com seu corpo semivestido nas mais variadas posições. Mais recentemente ela os imaginou fazendo sexo em uma das salas de reuniões que estão usando. Mas, além do papel que ele desempenha em sua imaginação sexual, Jen – que é uma amiga honrada, uma cidadã decente e um dia também será uma boa mãe – não tem a menor dúvida de que Tomas seria um parceiro totalmente inadequado para ela numa relação duradoura. Ela não consegue se imaginar convivendo a vida toda com sua animação, seu amor pelos animais e seu entusiasmo por corrida. Na noite anterior, ela teve sérias dificuldades para se concentrar numa longa história que ele contou sobre a avó, que está se tratando em uma casa de saúde de uma doença que os médicos não conseguem identificar. Depois do sexo, Jen ficaria mais do que feliz em nunca mais voltar a vê-lo.

2.

O dilema que essas duas pessoas enfrentam é peculiar à nossa sociedade, que ainda hoje não nos oferece uma maneira fácil de articular nossos desejos tantas vezes divergentes em relação ao amor e ao sexo. Tendemos a ficar na ponta dos pés, em torno do que queremos, dissimulando nossas necessidades com evasões e, no processo, frequentemente mentindo, partindo o coração de outras pessoas e sofrendo em meio a noites repletas de frustração e culpa.

Não atingimos um grau de desenvolvimento humano no qual Jen pudesse dizer abertamente a Tomas que ela só quer fazer sexo com ele, e nada mais. Uma confissão desse tipo soaria rude (talvez até cruel), animalesca e vulgar à maioria dos ouvidos.

Igualmente, Tomas não pode ser honesto em relação ao que *ele* quer, porque seu desejo de encontrar o amor com Jen pareceria sentimental e fraco. O tabu que o impede de anunciar a ela "Eu quero amar e cuidar de você com ternura pelo resto da minha vida" é tão forte quanto o que a impede de dizer a ele "Eu quero trepar com você no meu quarto de hotel e depois dizer adeus para sempre".

Para ter qualquer chance de sucesso, ambos têm de mentir sobre seus desejos. Jen tem de tomar cuidado para não revelar que seu interesse em Tomas é puramente sexual, e Tomas não pode verbalizar sua ambição de amor, por medo de que Jen fuja com a mesma rapidez. Ambos esperam conseguir o que querem sem ter de especificar explicitamente o quê. Essa ambiguidade em geral provoca traições e expectativas frustradas. A pessoa que quer amor, mas só tem sexo, sente-se usada. A pessoa que realmente só está atrás de sexo, mas que precisa fingir que quer amor para consegui-lo, sente-se presa quando forçada a um relacionamento ou, se conseguir fugir dele, sente-se corrupta e vil.

3.

Como nossa sociedade pode permitir a Tomas e Jen, e outros como eles, ir na direção de um resultado melhor? Primeiro, reconhecendo que nenhuma das duas necessidades tem a vantagem moral: querer amor mais que sexo, ou até em vez dele, não é "melhor" nem "pior" do que o contrário. Ambas as necessidades têm seu lugar em nosso repertório humano de sentimentos e desejos. Segundo, como sociedade, temos que encontrar maneiras de garantir que estas duas necessidades possam ser livremente reivindicadas, sem medo de culpa ou condenação moral. Temos que diminuir os tabus que cercam esses dois apetites, de modo a minimizar a necessidade de dissimulação e, assim, a decepção amorosa e as culpas que ela causa.

Enquanto a única maneira de obter sexo for fingindo estar apaixonado, alguns vão mentir e agir assim. E enquanto a única maneira de ter uma chance de encontrar um amor duradouro for nos mostrando como aventureiros despreocupados, prontos para fazer sexo sem compromisso em um motel, correremos o risco de nos sentirmos dolorosamente abandonados na manhã seguinte.

Já é hora de a necessidade de sexo e a necessidade de amor serem reconhecidas como igualmente importantes, sem censura moral. Ambas podem ser sentidas independentemente e têm valor e validade comparáveis. Nenhuma das duas deveria exigir uma mentira para que sejam reivindicadas.

2. Rejeição sexual

1.

Quando alguém por quem nos sentimos atraídos nos diz, naquele torturante tom doce no qual essas notícias são normalmente transmitidas, que ele, ou ela, preferiria, na verdade, ser apenas nosso amigo, o que ouvimos, com frequência, é a confirmação de que somos, como secretamente suspeitávamos o tempo todo, uma aberração monstruosa, desajeitada e intocável – resumindo, um homem ou mulher elefante dos tempos modernos. A rejeição dói tanto porque a recebemos como um julgamento condenatório não apenas de nossa atração física, mas de todo o nosso eu, e, por extensão (nesse estágio estamos chorando sobre o travesseiro, ao som de Bach ou Leonard Cohen), de nosso próprio direito a existir.

2.

Uma seção anterior deste livro argumentou, com alguma veemência, que nossa atração sexual aparentemente superficial pelos outros pode, na verdade, sinalizar um entendimento e avaliação muito mais profundos de nosso eu interior. Agora, seria importante enfatizar esse ponto de modo a mantermos nossa sanidade depois de uma rejeição.

Não precisamos receber a rejeição sexual como um indicativo preciso de que a outra pessoa olhou para dentro da nossa alma e sentiu repulsa de cada aspecto do nosso ser. A realidade é geralmente bem mais simples e menos perturbadora que isso: por alguma razão, esse indivíduo não se sente excitado pelo nosso corpo. Podemos nos consolar sabendo que esse veredicto é automático, pré-consciente e imutável. A pessoa que rejeita não está sendo intencionalmente desagradável; ele ou ela não tem escolha. Não podemos decidir quem vai nos excitar tanto quanto não podemos decidir qual sabor de sorvete ou estilo de pintura será o nosso preferido.

Em momentos de crise, precisamos apenas nos lembrar de como nos sentimos em relação a pessoas que nos teria sido conveniente desejar (porque eram delicadas, disponíveis e gostavam de nós), mas que, no entanto, não nos despertaram desejo. Não odiávamos esses desafortunados. Talvez tenhamos desejado ardentemente querer dormir com eles, talvez realmente os achássemos encantadores, mas nossa bússola sexual tinha outras ideias e não puderam ser persuadidas a mudar sua regulagem.

3.

No âmago da dor criada pela rejeição sexual está nosso hábito de interpretá-la como um *julgamento moral*, quando, na verdade, deveria ser classificada, com mais precisão, como um mero *acidente*. Podemos começar a nos libertar dessa tortura reconhecendo que as noites que não dão certo são, na realidade, apenas exemplares menores de má sorte.

A história do clima nos ajuda a entender essa questão. Em quase todas as sociedades primitivas, as pessoas interpretavam os temporais (que arruinavam plantações e inundavam povoados e casas) como punições dos Céus, sinais de que os deuses estavam bravos e que os seres humanos eram culpados. Aos poucos, a ciência da meteorologia ajudou a libertar nossa raça dessas superstições perniciosas. Hoje sabemos que a chuva impiedosa não é culpa *nossa*; é apenas o resultado final da interação aleatória de condições atmosféricas sobre o oceano ou por trás de uma cadeia de montanhas. Uma excêntrica má sorte, e não algo que fizemos, causou a inundação de nossos campos e fez com que nossas pontes fossem engolidas por águas escuras e volumosas como se fossem palitos de fósforo. Estaríamos acrescentando paranoia ao sofrimento ao tomar as chuvas como algo *pessoal*.

Assim como aprendemos a entender o clima, devemos também compreender aqueles que nos dizem tão docemente que gostariam de encerrar a noite mais cedo. Não escolhemos com quem queremos dormir; a ciência e a psicanálise já deixaram claro que existem forças ocultas que fazem a escolha por nós muito antes de nossa mente consciente ter uma opinião sobre o assunto.

Por mais inacreditável que possa parecer quando estamos no epicentro do sofrimento, às vezes um não é apenas um não.

3. Falta de desejo

i. Infrequência

1.

Vamos imaginar um casal, Daisy e Jim. Eles estão casados há sete anos e têm dois filhos pequenos: Mary (2 anos) e William (6 anos). Eles estão deitados em sua cama de casal às 21h30 de uma noite de semana, num quarto no sul de Londres, Daisy de um lado, Jim do outro. A televisão está ligada em um programa de viagem sobre a Itália e sua culinária, embora Daisy não esteja prestando muita atenção, porque ao mesmo tempo está fazendo as sobrancelhas com a ajuda de uma pinça e um espelhinho. As sobrancelhas crescem vigorosamente, uma característica que Jim admira e interpreta, supersticiosamente, como um reflexo da energia sexual da mulher.

Daisy tomou banho há um tempo e agora está deitada, enrolada frouxamente numa toalha branca, os seios à mostra. Embora durante o namoro Jim tenha passado um bom tempo tentando imaginar como seriam esses seios e perdido todo controle sobre suas faculdades mentais ao circular com a língua pela primeira vez suas auréolas, eles agora repousam diante dele sem qualquer convite que seja considerado mais digno de nota, observação ou excitação do que um polegar ou uma canela. O erotismo parece, no final, ter bem pouco a ver com a simples nudez: ele brota de uma promessa de mútua excitação, uma eventualidade que pode iludir duas pessoas juntas na cama ou tomar de assalto outro casal que está subindo uma montanha no teleférico, usando grossas roupas de esqui, luvas e toucas de lã. Enquanto na tela o apresentador elogia um cornetto de pistache, no quarto, a nudez no leito conjugal tem algo da mesma qualidade estéril e sem emoção de uma praia de nudismo no litoral báltico.

O programa termina e Daisy guarda seus instrumentos. Jim estende a mão e toma levemente a de Daisy. Nenhum dos dois faz outro movimento. A cena parece inócua, mas um importante evento está em andamento. Jim está tentando iniciar o sexo.

A lógica pode sugerir que um relacionamento ou casamento de longo prazo automaticamente garantiria o fim da ansiedade que tipicamente envolve as tentativas de uma pessoa fazer sexo com outra. Embora esse tipo de união faça do sexo uma constante possibilidade teórica, ele naturalmente não legitima ou facilita o caminho para o ato em qualquer ocasião especial. Pior, num contexto de permanente possibilidade, a incapacidade de fazer sexo pode se configurar como uma violação ainda mais grave das regras básicas do que um impasse em outros contextos. Ser rejeitado por uma pessoa a quem se acabou de conhecer num bar não é de surpreender. Há métodos para lidar com tal recusa. Não poder dormir com a pessoa com quem se assumiu o voto de partilhar a vida é uma eventualidade mais estranha e humilhante.

Já faz quatro semanas que Daisy e Jim não transam. Nesse período, o país emergiu do inverno. Os jacintos já floresceram, novas gerações de pintarroxos fizeram seus primeiros voos, abelhas iniciaram sua incansável ronda pelos canteiros de flores da capital. Embora este intervalo possa parecer longo, essa interrupção não é incomum para o casal. Da última vez foram seis semanas; antes disso, cinco. No que diz respeito a sexo, Jim desenvolveu uma memória incrível para datas. Durante todo o ano anterior, ele e sua esposa transaram apenas nove vezes.

Para Jim, essa estatística parece uma vergonhosa reflexão de aspectos essenciais do seu ser. Em parte, sem dúvida, é uma questão de orgulho ferido, mas também tem a ver com a nossa vasta cultura – e, mais especificamente, a extensão na qual a História recente priorizou a liberação do desejo, ao fazer com que as pessoas não tivessem mais que esconder seus corpos em roupas que não servem, ou o medo da possibilidade de se ter filhos indesejados, ou ver o sexo como nada mais do que um passatempo inocente e emocionalmente enriquecedor.

O fato de Jim se sentir incapaz de conversar com alguém a respeito de sua vida sexual com Daisy não ajuda. Nos jantares com amigos não há oportunidade de trazer à tona um tema ao mesmo tempo tão sério e tão irrelevante.

"Você deve estar com sono", diz Jim a Daisy, com o que ele quer dizer: "Por favor, me mostre que você me quer."

"Eu realmente acordei cedo hoje", responde Daisy com um bocejo, que os 39 anos de sua história psicológica levam Jim a interpretar como: "Tenho total repulsa por você."

Eles apagam as luzes e ficam deitados em silêncio no escuro. Jim pode ouvir sua esposa se virando algumas vezes antes de encontrar uma posição confortável, aninhada de costas para ele. Lá fora há ruídos: buzinas de carros, miados de gatos, gritos ocasionais e risadas de passantes voltando das festas – e dentro de Jim, o som surdo de sua angústia.

2.

Para começar – e de forma muito inocente –, a escassez de sexo dentro de relacionamentos estabelecidos tem a ver com a dificuldade de mudar os registros entre o dia a dia e o erótico. As qualidades requeridas pelo sexo contrastam vivamente com aquelas de que precisamos para conduzir a maioria de nossas atividades diárias. O casamento tende a envolver – se não imediatamente, então em poucos anos, pelo menos – a administração de uma casa e a criação de filhos, uma tarefa que se parece um tanto com a administração de um pequeno negócio, e baseia-se em muitas das mesmas habilidades burocráticas e processuais, incluindo gerenciamento, autodisciplina, exercício de autoridade e a imposição de regras aos recalcitrantes.

O sexo, com suas exigências opostas de expansividade, imaginação, diversão e perda de controle, deve, de acordo com sua própria natureza, interromper essa rotina de regulação e autocontrole, ameaçando nos deixar incapacitados ou, pelo menos, sem vontade de assumir nosso dever administrativo uma vez que o desejo tenha seguido seu curso. Evitamos o sexo não porque não seja divertido, mas porque seus prazeres ameaçam nossa subsequente capacidade de enfrentar as vigorosas exigências que nossos arranjos domésticos nos colocam. Nosso repúdio é semelhante a um montanhista ou maratonista que opta por não se banhar no lirismo e no hipnótico esplendor de um grande poema, talvez de Walt Whitman ou Tennyson, pouco antes de escalar uma montanha ou iniciar uma maratona.

O sexo também altera e desequilibra nosso relacionamento com nosso coadministrador da casa. Iniciá-lo requer que um parceiro ou o outro se torne vulnerável ao revelar o que talvez possa parecer uma necessidade sexual humilhante. Temos de deixar de lado a discussão de projetos práticos – que tipo de aparelho doméstico adquirir ou aonde ir nas férias do ano que vem – para fazer um pedido mais desafiador a fim de que o parceiro se vire e assuma a atitude, por exemplo, de uma enfermeira submissa ou coloque um par de botas e comece a insultá-lo. A satisfação de nossas necessidades pode nos forçar a pedir coisas que, a distância, podem ser consideradas ridículas e desprezíveis – a ponto de, no final, parecer mais fácil não fazer pedidos dessa natureza a alguém com quem devemos contar para tantas coisas no curso da decente vida cotidiana.

O senso comum sobre o amor normalmente diz que o contexto ideal no qual podemos nos expressar sexualmente é o do relacionamento sério, sugerindo com isso que não precisaremos ficar constrangidos por algumas de nossas necessidades mais incomuns na frente de uma pessoa com quem trocamos votos eternos em um altar diante de duzentos convidados. Mas essa é uma visão lamentavelmente equivocada do que nos dá impressão de segurança. Podemos achar mais fácil colocar uma máscara de borracha ou fingir ser um parente incestuoso e predador com alguém com quem não tenhamos de tomar café pelas próximas três décadas.

Embora o desejo de dividir as pessoas entre discretas categorias de aquelas que amamos e aquelas com quem podemos fazer sexo possa parecer um fenômeno particularmente masculino, as mulheres estão longe de ser inocentes nesse aspecto. A dicotomia da santa/puta tem uma analogia exata com o não menos comum complexo do bom-moço/cafajeste, no qual as mulheres reconhecem sua teórica atração por homens calorosos, protetores e comunicativos, mas ao mesmo tempo são incapazes de negar os méritos sexuais superiores de bandidos cruéis que partirão para outro continente assim que o sexo terminar. O que une a "puta" e o "cafajeste" em ambos os cenários é sua indisponibilidade emocional e, portanto, seu poder de não agir como testemunha permanente e evocadora de nossas vulnerabilidade e estranheza sexuais. O sexo às vezes pode ser um ato pessoal demais para ser praticado com alguém a quem conhecemos muito bem e que temos de ver o tempo todo.

3.

Sigmund Freud foi além disso. Foi ele quem primeiro e mais nitidamente identificou uma razão mais profunda para a dificuldade que muitos de nós têm de fazer sexo com parceiros de longo prazo. Em um ensaio de 1912, com o belo e desajeitado título de "Sobre a tendência universal à depreciação na esfera do amor", Freud resumiu o difícil dilema que afligia tantos de seus pacientes: "Quando amam, não têm desejo, e quando desejam, não podem amar."

Na análise de Freud, nossa vida sexual será gradualmente destruída por dois fatos inevitáveis ligados ao modo como somos criados: primeiro, aprendemos a amar pessoas com quem rigorosamente não podemos fazer sexo, e, segundo, tendemos a escolher amantes, na vida adulta, que se assemelham de certas maneiras poderosas (embora inconscientemente) às pessoas que mais amamos quando crianças. Juntas, essas influências criam uma situação infernal na qual quanto mais intensamente amamos uma pessoa fora de nossa família, mais fortemente nos lembraremos da intimidade dos nossos laços familiares da infância – e assim nos sentimos menos autorizados a expressar livremente nossos desejos sexuais. Um tabu de incesto projetado para impedir os perigos genéticos da procriação pode então conseguir inibir e, finalmente, sufocar nossas chances de apreciar o sexo com alguém que não tem nem remotamente o mesmo sangue que nós.

O perigo de que o tabu do incesto ressurja na vida adulta torna-se particularmente agudo depois da chegada dos filhos. Até então, os lembretes dos protótipos parentais em que nossos amantes se baseiam podem ser efetivamente mantidos a distância pelos afrodisíacos naturais da juventude, pelas roupas da moda, boates, férias no exterior e pelo álcool. Mas todos esses profiláticos tendem a ser deixados para trás uma vez que o carrinho de bebê esteja estacionado no corredor. Os parceiros permanecem ostensivamente conscientes de que não são os pais um do outro, mas torna-se cada vez mais difícil manter essa percepção no inconsciente quando ambos passam a maior parte do dia atuando no papel de "Mamãe" e "Papai". Embora um não seja o público esperado do outro, os dois parceiros são, ainda assim, testemunhas constantes dessas atuações. Não é incomum que um casal, depois de colocar as crianças na cama, num lapso que Freud teria apreciado, chamem um ao outro de "Mãe" ou "Pai", uma confusão que pode ser causada pelo mesmo tom disciplinador e exasperado que usaram o dia todo com seus filhos pequenos.

Pode ser difícil para ambas as partes apegar-se à óbvia, mas ilusória, verdade de que são, de fato, iguais, e que, por mais incômoda que seja a ideia de fazer sexo com um pai ou mãe, não é esse, na realidade, o perigo que enfrentam.

4.

Quando homens e mulheres deixam relacionamentos de longa data para assumir novos parceiros mais jovens, essa mudança geralmente é interpretada como uma simples e bastante frívola busca pela juventude. A razão mais profunda, subconsciente, entretanto, pode ser bem mais pungente que isso: estão deixando seus parceiros por causa dos fantasmas dos pais, que parecem tê-los engolido e, como consequência disso, impossibilitado qualquer intimidade sexual entre eles.

Mas quando o sexo se vê mergulhado no tabu do incesto, a solução, evidentemente, não é iniciar um relacionamento com outra pessoa, já que os novos candidatos se transformarão, eles próprios, em figuras paternas quando o amor estiver estabelecido. O que precisamos não é de uma nova pessoa, mas de uma nova maneira de perceber a que nos é familiar.

Como fazer isso? Uma resposta pode ser encontrada em uma prática sexual que só atrairia uma pequena minoria, mas que contém uma moral subjacente aplicável a todos os relacionamentos duradouros.

Alguns casais encontram prazer em escolher de comum acordo uma pessoa desconhecida e pedir a ela que faça sexo com um deles enquanto o outro assiste. O espectador cede por vontade própria seu lugar de direito e encontra prazer erótico em ser testemunha da relação de seu cônjuge.

Isto não é um ato de altruísmo. De fato, o novo ator foi convidado por um propósito específico: lembrar ao *voyeur* o que há de provocante em seu parceiro. O *voyeur* usa a luxúria do estranho como um mapa que o guie de volta a seus próprios desejos originais, que se perderam na névoa da rotina. Pela ação do estranho, o *voyeur* consegue se excitar com seu parceiro, após vinte anos, como na noite em que se conheceram.

Numa variação dessa abordagem, um tira fotografias do outro nu e as publica em um site da internet dedicado a esse tema, solicitando comentários francos de terceiros.

A tradição, o ciúme e o medo são suficientemente fortes para tornar improvável que essas práticas se propaguem em grande escala, mas elas mostram com particular clareza os mecanismos de percepção que seria importante incorporarmos em todos os nossos relacionamentos. A solução para a estagnação sexual duradoura é aprender a ver o outro como se nunca o tivéssemos visto antes.

Uma versão menos ameaçadora e dramática desse ato de percepção está prontamente disponível ao se dar entrada em um quarto de motel. Nossa incapacidade de perceber o lado erótico de nosso parceiro parece particularmente relacionada ao inerte ambiente no qual vivemos todo dia. Podemos culpar a estável presença do carpete e das cadeiras da sala de estar por parte da nossa dificuldade em fazer mais sexo, pois nossa casa nos leva a perceber os outros conforme o humor que eles apresentam dentro dela. O cenário físico torna-se permanentemente colorido pelos eventos que ocorrem dentro dele – aspirar, dar mamadeira, pendurar roupas, preencher formulário de impostos – e reproduz o humor para nós, com isso nos impedindo sutilmente de evoluir. Os móveis insistem que não podemos mudar porque eles nunca mudam.

Daí a importância metafísica dos hotéis. Suas paredes, camas, cadeiras, televisões e sabonetes cuidadosamente embalados não estão apenas satisfazendo um gosto por luxo; estão encorajando uma reconexão com nosso eu sexual há tanto esquecido. Não há limite para o

Não podemos esperar continuar fazendo amor se o carpete é sempre o mesmo. Hotel Park Hyatt, Tóquio.

que um mergulho a dois em uma banheira diferente pode nos ajudar a fazer. Podemos fazer amor novamente porque, em meio aos papéis que nós e nossos parceiros fomos forçados a assumir por nossas circunstâncias domésticas, redescobrimos as identidades sexuais que primeiro nos atraíram para eles – criticamente auxiliados nesse ato de percepção estética por um par de roupões felpudos, uma cesta de frutas e uma vista da janela para um porto desconhecido.

5.

Para descobrirmos como podemos aprender a voltar a desejar nosso parceiro, podemos encontrar lições no modo como os artistas abordam a tarefa de pintar o mundo. Tanto o amante quanto o artista enfrentam problemas semelhantes na natureza humana: a tendência universal a ficar facilmente habituado e entediado e a declarar que o que nos é conhecido é indigno de interesse. Tendemos a desejar injustamente a novidade, o drama, o romantismo brega e o glamour.

Algumas grandes obras de arte têm o poder de nos reconduzir ao que achávamos que já tínhamos compreendido e revelar novos encantos, negligenciados ou submersos, sob um exterior conhecido. Em contato com essas obras de arte, nossa apreciação de elementos supostamente banais é reacendida. O céu noturno, uma árvore balançada pelo vento em um dia de verão, uma criança varrendo o quintal, ou o clima de uma lanchonete numa grande cidade americana à noite revelam-se prontamente não apenas tediosos ou óbvios, mas situações interessantes e complexas. Um artista encontrará uma forma de ressaltar as dimensões mais pungentes, imponentes e intrigantes de uma cena e fixar nossa atenção nelas – de modo que abandonamos nosso escárnio anterior e começamos a ver em nosso ambiente um pouco do que Constable, Gainsborough, Vermeer ou Hopper conseguiram encontrar no seu.

Na França do século XIX, é muito provável que, além de cozinheiros, *gourmands* e fazendeiros, poucas pessoas conseguissem enxergar algo particularmente interessante nos aspargos antes que Edouard Manet pintasse um punhado deles em 1880, ajudando com isso a lembrar a humanidade do prodígio da aparição anual desse vegetal da primavera. No entanto, quaisquer que sejam as habilidades técnicas de Manet, sua pintura só funciona porque ele não simplesmente *inventou* o encanto do aspargo. Ela funciona porque ele encontrou uma forma de nos *relembrar* do que já sabíamos que existia, mas que nosso jeito mimado e acostumado de ver o mundo nos havia levado a negligenciar. Onde talvez estivéssemos preparados para ver apenas talos brancos sem graça, ele percebeu vigor, cor, drama e individualidade, realocando seu humilde assunto como um objeto sacramental e elevado pelo qual podemos acessar uma redentora filosofia da natureza e da vida rural.

Para salvar nossos relacionamentos de longa data da mesmice e do tédio, deveríamos aprender a usar com nossos parceiros do mesmo ato imaginativo que Manet usou com seus vegetais. Precisamos identificar o que há de bom e belo sob as camadas de hábito e rotina. Vemos, com bastante frequência, nossos parceiros empurrando carrinhos, discutindo com crianças pequenas, brigando com a companhia elétrica e voltando exaustos do trabalho que acabamos nos esquecendo de uma dimensão deles que permanece aventureira, impetuosa, atrevida, inteligente e, acima de tudo, viva.

No modo como Manet abordou os aspargos, encontramos lições para relacionamentos duradouros.
Edouard Manet, *Aspargos*, 1880.

6.

Por outro lado, se tentarmos tudo isso e ainda assim não funcionar, se ainda acharmos o sexo com nosso parceiro de longa data um acontecimento raro e pouco dinâmico, devemos ficar surpresos, aborrecidos e amargos?

A sociedade moderna tende a dar total crédito à nossa frustração. Nada menos que a completa satisfação soa como condescendência e capitulação. Sexo frequente e gratificante com um parceiro de longa data é visto como a norma, e qualquer desvio disso é visto como patologia. A indústria da terapia do sexo, desenvolvida primeiramente nos Estados Unidos na segunda metade do século XX, concentrou a maior parte de seus esforços em assegurar que o casamento deve ser avivado com o desejo constante. Foram os pioneiros da sexologia, William Masters e Virginia Johnson, os que primeiro articularam a ousada visão de que é direito de toda pessoa casada desfrutar um fluxo constante de bom sexo com seu parceiro do altar até o túmulo. Em seu best-seller *A inadequação sexual humana* (1970),[1] eles identificaram e propuseram antídotos para todos os obstáculos que um casal poderia enfrentar em sua busca por esse fluxo interminável de sexo gratificante: vaginismo, disfunção orgásmica, dispareunia, ejaculação retardada e os efeitos do envelhecimento.

Masters e Johnson muniram seu livro com diagramas úteis e sugestões delicadamente redigidas de exercícios úteis que os próprios casais poderiam fazer. Lida hoje, a prosa sóbria deles é destemida e, a seu próprio modo, impressionante, em sua dedicação a trazer à luz as silenciosas intensidades do sofrimento humano.

---

[1] São Paulo: Roca, 1985.

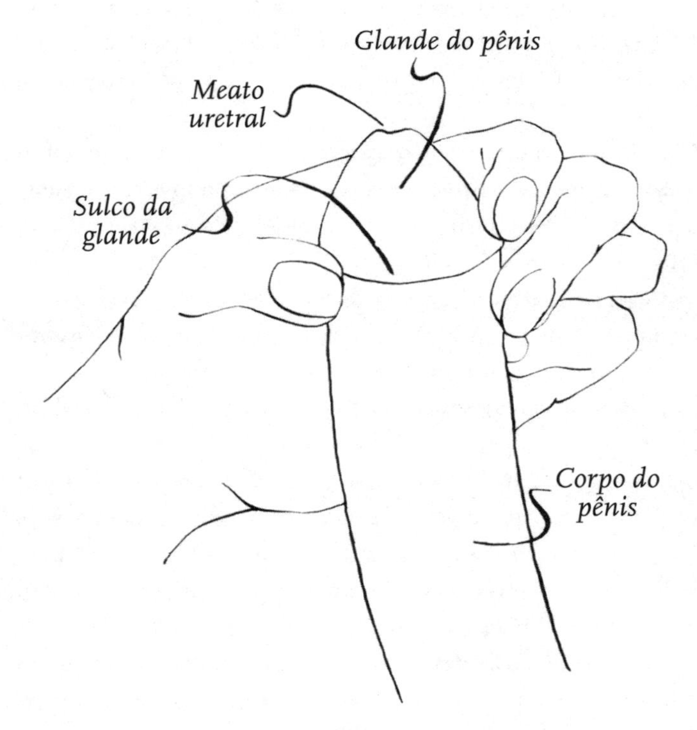

Expandindo as fronteiras do conhecimento: um desenho de grande auxílio.
A inadequação sexual humana (1970), de Masters e Johnson.

Para um problema tão antigo quanto o tempo, propuseram uma abordagem prática e profundamente simpática:

> *O primeiro passo na terapia contra ejaculação retardada é que a esposa force a ejaculação manualmente. Isso pode levar vários dias. O importante conceito a ressaltar a ambos os parceiros é que não há pressa.*

Sem dúvida é uma evolução na civilização quando tais questões podem ser redigidas e discutidas sem dramas ou constrangimentos por dois adultos enquanto as crianças estão dormindo no andar de baixo.

No entanto, há também, sem dúvida, algo peculiar, até perverso, em uma atitude mental que patologiza implacavelmente a ausência de sexo regular. Não se poderia inverter a questão e sugerir que, longe de ser um indicativo de que algo está errado, o gradual declínio na intensidade do sexo entre um casal casado é, na verdade, uma parte inevitável da vida biológica e, portanto, uma evidência da profunda normalidade? Rebelar-se contra isso é como protestar que não somos permanentemente felizes. Tendo em vista a raridade do bom sexo, será realmente certo continuar a considerar a frequência como regra? Claro, seria conveniente que o sexo e o casamento pudessem coexistir sem problemas, mas desejar não é o mesmo que conseguir. Portanto, não haveria certa sabedoria em reformular as expectativas, despatologizar e desestigmatizar nossos assim chamados "fracassos" – e às vezes virar para o outro lado da cama, pronto a aceitar sem rancor, e com calma estoica, algumas das necessárias concessões do amor duradouro?

ii. Impotência

I.

Em geral é mais fácil admitir que se esteve na prisão do que ter sofrido de impotência. Há poucas fontes maiores de vergonha para o homem e de sentimentos de rejeição para a mulher. É um fracasso físico com conotações morais; ele trai as normas da decência e masculinidade e parece censurar de uma vez só a personalidade e a aparência física da parceira. São inúmeras as tragédias que afligem a raça humana, mas raramente são tão intensas quanto as que acontecem em um quarto depois de um casal tentar repetidamente sustentar a ereção do homem e fracassar. Em tais momentos, o suicídio já não ocorre a uma pessoa como uma possibilidade remota e irracional.

O problema real da impotência não é a perda do prazer que ela envolve, que pode ser facilmente compensada com a masturbação, mas sim o golpe à autoestima de ambas as partes. A impotência é considerada uma catástrofe por causa da compreensão do que *significa* a flacidez.

O argumento empreendido aqui, porém, é de que nossos métodos de interpretação estão profundamente equivocados e que, se avaliássemos a questão de modo mais justo, não apenas não ficaríamos constrangidos pelas ocasiões de impotência psicologicamente criadas, mas talvez nos orgulharíamos delas.

2.

Devemos começar por esboçar as linhas gerais de um tópico que um dia merece ser escrito na forma de uma séria monografia acadêmica: a história da impotência.

Vamos propor, embora com poucas evidências empíricas concretas, que a impotência pouco preocupou a humanidade em seus primeiros momentos. Os primeiros hominídeos que viviam na sufocante escuridão das cavernas da França central ou no enervante calor das cabanas de palha do Vale do Rift deviam ter dificuldade para encontrar comida, escapar de animais perigosos, costurar cuecas e se comunicar com parentes distantes, mas fazer sexo não era um problema, porque uma questão que certamente não passava pela cabeça dos homens caçadores ao se levantarem em suas pernas peludas era se sua parceira estaria disposta ou se estaria indignada ou entediada com a visão de um pênis ou se simplesmente queria ter uma noite tranquila perto da fogueira. A razão e a bondade ainda não tinham invadido o livre fluxo de impulsos animais – e não o fez convincentemente no Ocidente até que a influência da filosofia clássica e da ética judaico-cristã se infiltrou na população nos séculos posteriores à morte de Cristo. A impotência nasceu do aumento da capacidade de empatia que acompanhou a promoção da Regra de Ouro ("Não faça aos outros o que não quer que façam com você"); ela foi o fruto estranhamente perturbador de nossa capacidade de imaginar o que outra pessoa poderia estar sentindo e então nos identificar com suas possíveis queixas contra nossas exigências invasivas ou insatisfatórias.

Da mesma forma, todos nós, pessoas conscientes, nos deparamos com quão desagradável nosso desejo por sexo pode parecer a outra pessoa; quão contrário à razão ele pode ser; quão peculiar e fisicamente perturbadora pode parecer a carne de alguém, e quão indesejável podem ser suas carícias – e, portanto, com que cuidado uma pessoa deve partir para seduzir outra. Quanto maior for a nossa capacidade de imaginação, maior será nosso receio de ofender, a ponto de que, mesmo quando o sexo é uma possibilidade legítima, é simplesmente impossível deixar as dúvidas de lado, com consequências fatais para a capacidade, no caso dos homens, de manter uma ereção. Foi a civilização, com sua crença nos direitos humanos, seu respeito pela bondade e sua sofisticação moral, que sem querer gerou um aumento nos episódios de insucesso sexual. Uma capacidade avançada por amor e ternura pode ironicamente nos deixar sensíveis demais para incomodar o outro a fazer sexo conosco.

A civilização certamente trouxe benefícios enormes ao relacionamento entre os sexos: delicadeza e tato, espírito de igualdade e a divisão mais justa das tarefas domésticas. Mas talvez tenhamos de admitir que também tornou mais difícil fazer sexo – pelo menos para os *homens*. Sabemos que não devemos insistir, nunca impor grosseiramente as próprias necessidades e nunca usar outra pessoa como um objeto para nosso próprio prazer sexual.

Mas, por mais bem-intencionadas que sejam essa hesitação e esse constrangimento, e baseadas nas razões mais delicadas, elas acabam nos privando de algumas oportunidades promissoras. Ocasionalmente há uma ou duas pessoas que atravessam nosso caminho que não estão, de modo algum, horrorizadas com nosso anseio por um encontro obrigatoriamente sexual urgente e não veem nada de repugnante mesmo nos aspectos mais extremos do ato sexual. Ainda assim, esses candidatos talvez quisessem que déssemos o primeiro passo, porque ao mesmo tempo querem o sexo, precisam que outra pessoa as lembre disso. Suas mentes talvez estejam tão ocupadas com questões racionais e com as distrações diárias que elas precisam de uma intervenção externa para conectá-las mais adequadamente com seu eu libidinoso. Se o impasse da timidez deve ser quebrado, uma das partes tem de assumir o risco calculado de desagradar – supondo que, no fundo, após uma pequena confusão e relutância, o sexo acabará por mostrar seus atrativos.

Em suas manobras iniciais, portanto, o sexo mais carinhoso, bem-intencionado e empático pode às vezes parecer muito com completa indiferença ao que outra pessoa sente ou quer.

3.

A impotência é, assim, fundamentalmente um sintoma de respeito, um medo de causar desagrado, seja pelos próprios desejos ou pela incapacidade de satisfazer os desejos do outro. A popularidade dos medicamentos para combater a disfunção erétil mostra o desejo coletivo de encontrar uma solução confiável pelo qual superar o sutil, delicado e civilizado receio de causar desapontamento ou contrariedade.

Uma abordagem melhor e sem medicamentos está em fazer uma campanha para promover a ambos os sexos – talvez por meio de outdoors e anúncios de página inteira em revistas femininas – que o chamado “nervosismo” em um homem não é um problema, e sim é um bem que deve ser procurado e valorizado, pois é evidência de um potencial para uma variedade especialmente sutil de delicadeza. O medo de ser desagradável, absurdo ou decepcionante para alguém é um sinal de moralidade. A impotência é uma realização da imaginação ética – tanto assim que no futuro podemos aprender a usar os episódios de impotência como uma maneira de assinalar nossa profundidade de espírito, assim como hoje engolimos furtivamente um comprimido de Viagra no banheiro para provar a extensão da nossa masculinidade.

iii. Ressentimento

I.

Vamos voltar a Daisy e Jim, nosso casal do sul de Londres que não faz sexo há um mês. A razão pela qual Daisy não quer fazer sexo com Jim após desligar a televisão e as luzes é porque está furiosa com ele, embora esse sentimento lhe seja uma surpresa – assim como para ela. Daisy esteve calma e comedida o dia todo. O casal compartilhou um jantar de forma educada, embora um tanto superficial, apenas algumas horas antes, e durante a refeição ela não reclamou nem deu indicações de estar chateada. E, ao se deitar, ela própria não tem consciência de que tem queixas contra o marido. Não está pensando nele, sente-se um pouco triste, anseia estar sozinha, está um pouco preocupada com tudo o que terá de fazer no dia seguinte.

O conceito de raiva do senso comum sugere rostos ruborizados, vozes alteradas e portas batendo, mas há muitas ocasiões em que ela toma um rumo diferente; ocasiões em que não a compreendemos nem reconhecemos e ela transforma-se em entorpecimento.

Esquecemos que estamos bravos com nosso parceiro, e assim nos tornamos anestesiados, melancólicos e incapazes de fazer sexo com ele ou ela por dois motivos. O primeiro é porque os incidentes específicos que nos enraivecem acontecem tão rápida e invisivelmente em ambientes acelerados e caóticos (durante o café da manhã, antes da correria para a escola, ou durante uma conversa pelo celular na hora do almoço, numa praça onde venta muito), que não conseguimos reconhecer a ofensa de forma clara o bastante para formar uma queixa coerente contra ela. A flecha é lançada, fere-nos, mas faltam-nos os recursos ou o contexto para perceber como ela entrou em nós e que danos causou. Em segundo lugar, não articulamos nossa raiva mesmo quando a compreendemos, porque as coisas que nos ferem podem parecer tão pequenas, mimadas ou excêntricas e sabemos que pareceriam ridículas se ditas em voz alta. Até ensaiá-las para nós mesmos pode ser constrangedor.

Podemos, por exemplo, ficar profundamente magoados porque nosso parceiro não notou nosso novo corte de cabelo ou porque não usou uma tábua de pão ao cortar um pedaço de baguete, espalhando migalhas para todos os lados, ou porque foi direto assistir à televisão no quarto, sem perguntar como foi o nosso dia. Estes não parecem ser problemas sobre os quais formular uma queixa. Dizer "Estou bravo(a) porque você está cortando o pão de maneira errada" pode soar imaturo e insano. E uma reclamação desse tipo pode ser de fato as duas coisas, mas, já que imaturidade e insanidade são uma parte da condição humana, seria recomendável que parássemos de aceitar (e depois sofrer por) noções mais otimistas.

Argumentos parecidos – sobre assuntos objetivamente triviais e absurdos para quem está de fora – pontuam a história de todos os relacionamentos. Tudo se resume a ambição. Apaixonar-se por outra pessoa é abençoá-las com uma ideia de como elas devem ser aos nossos olhos e de como a vida com elas deveria se desenvolver; é tentar encarnar a perfeição em uma ilimitada gama de atividades que vão desde as questões mais importantes (como educar os filhos e que casa comprar) até as mais triviais (onde colocar o sofá e como passar a noite de terça-feira). Portanto, quando apaixonados nunca estamos imunes a sofrer dolorosas e irritantes traições de nossos ideais. Uma vez em um relacionamento, não há algo como detalhe irrelevante.

Ao longo de uma semana comum, um casal pode receber e disparar dezenas de pequenas flechas sem se dar conta, sendo que o resultado superficial dessas mágoas é um quase imperceptível esfriamento entre eles e, de maneira crítica, a recusa a fazer sexo entre eles – pois o sexo é uma dádiva difícil de ser entregue quando se está aborrecido, especialmente quando não se sabe disso.

A situação tende a tornar-se ainda pior. A pessoa que magoou seu parceiro sem saber é punida sexualmente, o que leva ao disparo de flechas ainda mais dissimuladas, criando feridas que, por sua vez, não serão compreendidas ou enfrentadas e que então levarão a outros atos camuflados de agressão e recusa.

Finalmente, tende-se ao tipo de explosão descrito a seguir, mesmo entre pessoas delicadas e razoáveis que seriam consideradas valiosas para a comunidade, amigos amorosos e colegas confiáveis:

JIM: Você *nunca* quer transar comigo, não é?

DAISY: Quero, mas hoje não estou a fim.

JIM: Você sempre diz isso.

DAISY: Não digo, *não*. Só não quero ser forçada.

JIM: Não estou tentando forçá-la!

DAISY: Está, sim. Você está perturbando.

JIM: Estou chegando à conclusão de que você é frígida, sabe...

DAISY: E eu estou me dando conta de que você é bastante desagradável.

JIM: Vou dormir no quarto ao lado.

DAISY: Ótimo. Não estou nem aí.

A qualquer momento, centenas – ou talvez milhares – de conversas assim acontecem pelo mundo inteiro, frequentemente nos distritos mais privilegiados, lugares onde não há guerras ou dificuldades econômicas graves, onde há lojas bem-abastecidas e faculdades caras. O desperdício de tempo e de vida é assustador porque, apesar de todos os insultos que estão trocando, ambos se amam e poderiam ser delicados, se ao menos compreendessem como conseguiram ficar tão bravos.

2.

Neste ponto da nossa história, como espécie, sabemos muito bem por que os casais se agridem mutuamente e os relacionamentos desmoronam. Os fatos estão nas sóbrias páginas dos manuais de psicologia trazendo títulos como *Couples in Treatment: Techniques and Approaches for Effective Practice* (Casais em terapia: técnicas e abordagens para uma prática eficaz) (esse livro em particular é editado por dois psicoterapeutas britânicos, Gerald Weeks e Stephen Treat).

Embora as informações existam para quem quiser ler, elas costumam estar indisponíveis nos momentos de crise. Não temos espectadores objetivos e mantras aos quais nos agarrar. Nosso conhecimento é intelectual e único. Somos aniquilados pela abrupta velocidade com que os desapontamentos ocorrem e por nossa incapacidade de parar e rever uma cena, superar a briga e afastar a discussão da recriminação e identificar as verdadeiras fontes da mágoa e do medo.

Em um mundo mais organizado, em vez de permitirem que Jim e Daisy continuassem suas interrogações sobre quanto cada um é supostamente mau, Gerald Weeks e Stephen Treat tomariam conta deles, os colocariam em uma sala silenciosa e então os encorajariam a rastrear cada passo que os levou a seu inferno particular. Com tempo e esforço, o casal poderia, então, começar a perceber que suas hostilidades são consequência do fluir de suas personalidades pelos deformantes desfiladeiros emocionais de suas infâncias.

Em um mundo perfeito, todos os casais seriam visitados semanalmente por um psicoterapeuta, sem precisarem buscar pelo serviço. A visita seria apenas parte de uma vida boa e comum, como o jantar de sexta-feira à noite para os judeus, e com um pouco da mesma função catártica. Acima de tudo, nenhuma das partes se sentiria considerada maluca pela sociedade por estar fazendo terapia – principal razão pela qual as pessoas não vão ao terapeuta e assim enlouquecem gradualmente.

Esse terapeuta ideal faria uma avaliação do relacionamento, analisaria suas tensões e agiria como um catalisador para o tipo de mudança que as duas partes, por serem fracas, ocupadas e confusas demais, não conseguiriam produzir por conta própria. Esse terapeuta ideal as lembraria que toda troca, por menor que seja, tem implicações e pode disparar uma sequência de recriminações e ressentimentos que as impediria de ter vontade de fazer sexo. Ele as ensinaria a cuidar do relacionamento com extremo cuidado. Pediria que elas chegassem a cada sessão com uma lista de questões que tivessem surgido na semana anterior e então insistiria que um ouvisse as queixas do outro com compaixão, sem tentar se justificar raivosamente ou afirmar sua condição de vítima. Alertaria-os de que se não dormissem juntos pelo menos uma vez por semana haveria necessariamente um grau de libido que buscaria outros meios de escape, com consequências para sua união. Ele faria uma avaliação de suas histórias psicológicas e os ajudaria a perceber as prováveis maneiras pelas quais eles estariam distorcendo ou interpretando mal a realidade, em virtude de seu passado. E quando as discussões irrompessem, ele os lembraria de ver o outro como uma pessoa magoada e triste, ao invés de maliciosa e maldosa.

Esse terapeuta pertenceria a um novo tipo de sacerdócio, projetado para uma era que já não acredita no perdão e compreensão religiosos no além, mas que ainda precisa muito dessas qualidades aqui e agora.

3.

Se serviços assim ainda não existem, é porque o capitalismo ainda está na sua infância. Temos frutas exóticas entregues à porta da nossa casa e sabemos construir microcondutores, mas temos dificuldade em encontrar maneiras eficazes de avaliar e recuperar nossos relacionamentos. O problema é que acreditamos saber tudo sobre como estar com outra pessoa sem jamais termos nos preocupado em aprender a estar. Mas não somos capazes de descobrir como lidar com essa situação por nós mesmos, tanto quanto não somos capazes de intuitivamente aprender a pousar um avião ou fazer uma cirurgia cerebral. Embora os espaços de trabalho estejam repletos de procedimentos artificiais para impedir que os empregados se matem uns aos outros, os amantes modernos ainda relutam em tentar práticas padronizadas e obter auxílio externo para suas vidas. Permanece a ideia de que *pensar* demais impossibilita o *sentir* – como se já não estivesse absolutamente claro que, sem uma boa e constante dose de reflexão, não conseguiremos evitar nos destruir uns aos outros.

Por impressionante consenso, nossa cultura situa a principal dificuldade dos relacionamentos no encontro da pessoa "certa", ao invés de no saber amar um ser humano real, ou seja, necessariamente *incorreto*. Nossa relutância em trabalhar o amor pode ser o resultado de nossas primeiras experiências emocionais. Fomos amados primeiramente por pessoas que disfarçavam o trabalho envolvido nisso, pessoas que nos amavam sem nos exigir um afeto na mesma proporção, pessoas que não revelavam as próprias vulnerabilidades, ansiedades e necessidades, pessoas que – pelo menos até certo ponto – tinham melhor comportamento como pais do que talvez como amantes. Assim elas criaram, com a melhor das intenções, uma ilusão com consequências complicadas mais para a frente, deixando-nos despreparados para o esforço que necessariamente devemos fazer para ter um relacionamento adulto bem-sucedido.

Podemos alcançar uma visão equilibrada de amor adulto não lembrando como era ser amado enquanto criança, mas imaginando o esforço de nossos pais para nos amar – em outras palavras, muito trabalho. Somente com aplicação similar seremos capazes de identificar quem está disparando as flechas e por quê – e retornar à possibilidade de ter uma relação melhor e, como consequência extraordinária, sexo mais frequente e afetuoso.

4. Pornografia

i. Censura

I.

Quando seus demônios tornam-se incontroláveis, e Daisy já está dormindo, Jim frequentemente sai da cama e sobe para usar o computador no pequeno escritório do andar acima.

Como seus defensores estão sempre apontando, a internet é uma excelente ferramenta educacional, conectando as inteligências descontínuas de populações espalhadas pelos continentes a uma única mente global e incessantemente ativa. Com apenas alguns cliques no teclado, Jim pode se ver navegando pelas estantes virtuais da Livraria do Congresso, consultando as condições do tempo no sul da Itália, vendo carros clássicos em uma feira na Califórnia ou investigando gráficos comparativos sobre a temperatura média do ar no planeta nas duas últimas décadas.

Mas, com igual facilidade, ele pode também procurar "adolescentes safadas trepando" – e perder a cabeça. Não é de admirar que as vendas de publicações estejam em baixa em todo o mundo. Os livros têm que ser realmente interessantes para competir com isto. Qualquer coisa – um pouso em Marte, a primeira peça de Natal de um filho, a descoberta de 15 fólios desconhecidos de Shakespeare – vai ter de se esforçar muito. A verdadeira questão do momento é por que um homem optaria por conduzir a própria vida em vez de passar obsessivamente das Amadoras às Louras, de *Bondage* a Inter-racial, Sexo ao ar livre a Ruivas, e Transexuais a *Voyeur*.

2.

A pornografia é frequentemente acusada – em geral por aquelas abençoadas almas que não a investigam muito, que talvez tenham dado uma ou duas olhadas na *Playboy* ou visto um *trailer* no canal adulto anos atrás numa televisão de hotel – de ser confortantemente "falsa", portanto, não ameaçar qualquer existência sensível e inteligente. Mas, infelizmente, isto está longe da realidade. A moderna pornografia parece tão real que hoje se assemelha a nossas vidas em todos os detalhes, com a significante diferença, claro, de que todos estão tendo contínuas relações sexuais beatíficas.

A perda de tempo associada naturalmente é horrível. Analistas financeiros estimam em 10 bilhões de dólares por ano o valor da indústria pornográfica on-line, mas isto nem ao menos começa a evocar a verdadeira escala da perda em termos do desperdício de energia humana: talvez chegando a duzentos milhões de homens-horas que de outro modo poderiam ter sido dedicadas a abrir empresas, criar filhos, curar o câncer, escrever obras-primas e limpar o sótão, exaurida diante das páginas fascinantes de www.hotincest.com e www.spanksgalore.com

3.

Somente depois do orgasmo fica claro quanto a pornografia é profundamente contrária aos planos e inclinações de uma pessoa. Onde um momento antes poderíamos sacrificar seus bens terrenos por mais um clique, agora temos de nos confrontar com horror e vergonha o abandono temporário da própria sanidade. Quanto se está longe da nobreza – do modo como Aristóteles a previu em *Ética a Nicômaco* ("o pleno florescimento do que é mais distintivamente humano segundo as virtudes") – fica evidente em cenários nos quais uma mulher desconhecida, em algum lugar da antiga União Soviética, é colocada à força sobre uma cama e três pênis são brutalmente inseridos em seus orifícios e os resultados são gravados para um público internacional de maníacos. Estamos longe da dignidade, felicidade e moralidade – mas também não estamos longe, a certos olhos pelo menos, do prazer.

Mas não é fácil resistir a esse veneno. Uma aliança, em grande parte involuntária, entre Cisco, Dell, Oracle, Microsoft de um lado e milhares de provedores de pornografia do outro, encontrou uma maneira de explorar um defeito de fabricação no gênero masculino. Um cérebro originalmente projetado para não enfrentar nada mais sexualmente tentador do que um vislumbre ocasional de uma mulher da tribo do outro lado da savana perde o controle quando confrontado com ofertas para participar continuamente em cenários eróticos que ultrapassam qualquer coisa que pudesse ser imaginada pela mente doentia do marquês de Sade. Não há nada suficientemente robusto em nossa constituição psicológica que compense os desenvolvimentos em nossas capacidades tecnológicas, nada que contenha o desejo apaixonado de sacrificar todas as outras prioridades em nome de mais uns poucos minutos (que podem vir a se transformar em quatro horas) nos locais mais sombrios do www.springbreakdelight.com

Concentrar-se na leitura dos contos de Tchekhov à luz de velas, quando a única concorrência era um bate-papo com um vizinho a uma distância de vinte minutos de caminhada, não era tão difícil. Mas que chance tem Tchekhov, ou qualquer outro escritor, quando um homem pode dividir a tela da Dell pela metade, deixando à esquerda uma variedade de imagens de líderes de torcida nuas e, à direita, com a ajuda do MSN, conversar em tempo real com uma escultural dançarina de *pole dance* de 25 anos (na realidade um gorducho motorista de caminhão de 53) que nos encorajará, em nosso disfarce de adolescente curiosa, mas ainda não iniciada lésbica, a dar os primeiros e hesitantes passos na direção do nosso despertar sexual?

4.

Quando o cenário intelectual por trás de nossas modernas sociedades seculares foi definido por pensadores como John Locke, Voltaire, Thomas Jefferson e Thomas Paine, nos séculos XVII e XVIII, a ideia de liberdade individual foi colocada em seu cerne. Uma boa sociedade deixaria as pessoas em paz para lerem o que desejassem, verem quaisquer imagens que quisessem e cultuarem o deus que escolhessem. A única justificativa para se limitar a liberdade de alguém seria para impedi-lo de prejudicar os outros. A não ser no caso de um cidadão matar outro a cacetadas ou roubar-lhe o seu sustento, a boa sociedade deveria permitir às pessoas fazer o que quisessem. Esse princípio fundamental está expresso no famoso ensaio de John Stuart Mill *Sobre a liberdade* (1859): "A única liberdade que merece esse nome é a da busca do nosso próprio bem, à nossa maneira, desde que não privemos os outros do seu ou os impeçamos de se esforçarem por obtê-lo. Cada um é o guardião natural de sua própria saúde, seja física, mental ou espiritual."

Mesmo hoje, quando refletimos sobre o que é mais característico e honroso nas democracias contemporâneas, tendemos a mencionar a liberdade. Nossa defesa automática do conceito assenta-se em dois fundamentos. Primeiro, nossa adesão é cautelosa: estamos profundamente conscientes dos perigos associados a qualquer tipo de intervenção estatal. Achamos ser impossível que uma pessoa realmente saiba como outra deve viver e, portanto, sustentamos que os perigos de nos intrometermos ou restringirmos as atividades dos outros superam em muito as vantagens. Parece melhor deixar as pessoas buscarem sua salvação a seu próprio modo do que arriscar uma interferência potencialmente catastrófica. Para que não reste nenhuma dúvida a este respeito, os nomes de Hitler e Stalin são sistematicamente invocados como lembretes do que pode acontecer quando uma pessoa decide que sabe o que é melhor para todos os outros.

Segundo, e de modo mais otimista, nossa defesa da liberdade assenta-se na crença de que, no fundo, nós, seres humanos, somos criaturas maduras e racionais, capazes de avaliar nossas necessidades adequadamente, de cuidar de nossos próprios interesses e de nos virarmos perfeitamente bem sozinhos, sem necessitar de grande proteção. Ao que somos expostos não precisa de monitoramento, pois não somos especialmente vulneráveis às coisas que olhamos e lemos. Não seremos irreparavelmente prejudicados por um livro ou uma figura, não vamos nos tornar violentos porque lemos um romance sangrento nem deixaremos de nos comportar com moral por causa de um filme ou de uma fotografia. Nosso estado mental é mais forte que isso. Não somos feitos de mata-borrão – e, portanto, podemos conviver seguramente e nos orgulhar de uma imprensa livre e de uma democracia de ideias.

5.

Estes princípios violam, em quase todos os detalhes, aquilo em que as religiões acreditam, o que talvez não surpreenda, porque a filosofia do liberalismo moderno foi gerada, em grande parte, em oposição ao curso da doutrina religiosa. As doutrinas, por sua vez, sempre argumentaram que possuem alguns conceitos altamente confiáveis sobre o certo e o errado e, portanto, têm a obrigação moral de impor seus sistemas morais aos outros, se necessário com vigor e coerção. Também têm argumentado que as pessoas não são, de modo algum, impermeáveis às mensagens que encontram ao seu redor. Elas podem ser profundamente prejudicadas por algo que leram ou viram, portanto precisam ser constantemente protegidas de si mesmas. Elas precisam de censura.

A própria palavra é aterradora e evoca não só as experiências soviética e nazista, mas também a vingativa imbecilidade da Inquisição católica. No entanto, antes de a rejeitarmos logo de cara, embora estejamos numa ladeira escorregadia em cujo fundo há algumas terríveis situações, talvez valha a pena considerar a ideia de que alguns tipos de censura podem ser benéficos e necessários. Talvez, como sugerem as religiões, sejamos, de fato, um tanto vulneráveis ao que lemos e assistimos. Talvez a influência dos livros e dos materiais visuais *não* passem simplesmente despercebidos por nós. Porque somos criaturas passionais e, em sua maioria, irracionais, fustigadas por hormônios e desejos destrutivos, o que significa que não precisamos de muito para perder de vista nossas ambições de longo prazo. Embora essa vulnerabilidade possa insultar nossa autoimagem, as figuras erradas podem, sim, nos colocar numa trilha fatal. O contato com certo tipo de leitura inútil pode massacrar nossas bússolas éticas. Alguns anúncios errados em revistas atraentes podem reorganizar nossos valores (como bem sabem os publicitários). Isso não significa, claro, que deveríamos entregar todas as nossas liberdades a uma autoridade arbitrária e tirânica, mas sugere, sim, que às vezes deveríamos aceitar um teórico limite à nossa liberdade em certos contextos, em nome do nosso bem-estar e da nossa capacidade de prosperar. Em momentos de lucidez, deveríamos ser capazes de avaliar por conta própria que uma liberdade ilimitada pode nos prender e que, quando se trata da pornografia da internet, faríamos um enorme favor a nós mesmos se consentíssemos, de bom grado, em ceder alguns de nossos privilégios a uma benigna entidade supervisora.

Talvez apenas as pessoas que não foram arrebatadas pelo poder do sexo podem não censurar e permanecer liberalmente "modernas" em relação ao tema. As filosofias da liberação sexual atraem, principalmente, as pessoas que não têm nada demasiadamente destrutivo ou estranho que queiram fazer uma vez que tenham sido liberadas.

No entanto, qualquer um que tenha experimentado o poder que o sexo, em geral, e a pornografia da internet, em particular, têm de redirecionar as prioridades provavelmente não seja tão tranquilo em relação à liberdade. Depois de passar várias horas no meio da noite assistindo obsessivamente a uma sucessão de pessoas se despirem e se penetrarem, elas talvez queiram impor as formas mais rígidas de censura; mesmo os mais liberais entre nós podem se encontrar clamando que uma enorme fogueira seja feita com todos os servidores, roteadores, torres de servidores e cabos do mundo para pôr fim a um sistema responsável por entregar uma dieta de veneno no lar e na mente de uma pessoa.

A pornografia, como o álcool e as drogas, enfraquece nossa capacidade de enfrentar certos tipos de sofrimento que temos de enfrentar se quisermos direcionar apropriadamente as nossas vidas. Mais especificamente, ela reduz nossa capacidade de tolerar nossos dois humores ambíguos e oscilantes: a preocupação e o tédio. O estado de ansiedade é um sinal genuíno, mas confuso, de que algo está faltando, e, portanto, é preciso prestar atenção a ele e pacientemente interpretá-lo – o que é improvável que aconteça quando temos à mão a mais poderosa ferramenta de distração já inventada. A internet inteira é, em certo sentido, pornográfica; ela oferece uma excitação constante à qual não temos capacidade inata para resistir, um sistema que nos leva por caminhos que não suprem em nada as nossas reais necessidades. Além disso, a disponibilidade imediata da pornografia enfraquece nossa tolerância ao tipo de tédio que é vital para dar à nossa mente o espaço no qual as boas ideias possam emergir, o tipo de tédio criativo que experimentamos durante um banho ou numa longa viagem de trem. É nos momentos em que sentimos um desejo irresistível de escapar de nós mesmos que podemos estar certos de que há algo importante que precisamos trazer à consciência – e é justamente nesses momentos férteis que a pornografia da internet está mais apta a exercer sua enlouquecedora atração, nos ajudando, com isso, a escapar de nós mesmos e a destruir nosso presente e nosso futuro.

6.

Somente as religiões ainda levam o sexo a sério, no sentido de apropriadamente acreditar em seu poder de nos afastar de nossas prioridades. Somente as religiões consideram o sexo potencialmente perigoso e algo do qual precisamos ser protegidos. Talvez não simpatizemos com aquilo em que as religiões gostariam que nos concentrássemos no lugar do sexo; talvez não gostemos do modo como elas o censuram, mas podemos ao menos reconhecer – depois de perder muitas horas on-line no www.youporn.com – que as imagens sexuais podem, sim, destruir nossas mais elevadas faculdades racionais com deprimente facilidade.

Com sua resistência à censura sexual e sua fé na maturidade da humanidade, o mundo secular reserva especial desprezo pela promoção islâmica do *hijab* e da burca. A ideia de que uma pessoa precisa se cobrir da cabeça aos pés para os homens não perderem o foco em Alá parece absurda aos guardiões do secularismo. Poderia um adulto racional realmente virar sua vida de cabeça para baixo ao ver um atraente par de joelhos ou cotovelos femininos? E quem, senão uma pessoa fraca da cabeça, poderia ser seriamente afetada por um grupo de adolescentes seminuas passeando provocantemente pela praia?

Somente as religiões ainda levam a sério o poder que o sexo tem de redirecionar nossas prioridades.

As sociedades seculares não têm problemas com os biquínis e as provocações sexuais de todos os tipos, porque, entre outras razões, elas não acreditam que sexualidade e beleza têm um poder tão extraordinário sobre nós. Os homens devem ser absolutamente capazes de ver um grupo de mulheres jovens se divertindo, seja on-line ou ao vivo, e continuar com sua vida como se nada em particular tivesse acontecido.

As religiões podem ser objeto de deboche por serem pudicas, mas, no que nos advertem contra o sexo, o fazem porque estão ativamente conscientes dos encantos e do poder do desejo. Não achariam o sexo assim tão ruim se não avaliassem que ele também pode ser absolutamente maravilhoso. O problema é que essa maravilha pode ficar no caminho de nossas outras preocupações importantes e preciosas, como Deus e a vida.

Talvez não estejamos dispostos a ir tão longe a ponto de encobrir a beleza, mas possamos perceber a importância de censurar o computador e aplaudir qualquer tentativa do governo de reduzir o pronto e livre fluxo de pornografia por nossos cabos de fibra óptica. Mesmo que já não acreditemos em uma divindade, certo grau de repressão é aparentemente necessário à nossa espécie e ao adequado funcionamento de uma sociedade parcialmente organizada e amorosa. Parte da nossa libido tem de ser forçada a ficar na clandestinidade. A repressão não é apenas aos católicos, muçulmanos e vitorianos, mas para todos nós e para toda a eternidade. Porque temos de trabalhar, nos comprometer com relacionamentos, cuidar de nossos filhos e explorar nossa mente, não podemos permitir que nossos impulsos sexuais se expressem sem controle, seja on-line ou não; completamente livres, eles nos destruiriam.

ii. Um novo tipo de pornografia

I.

Por outro lado, o verdadeiro problema da pornografia talvez não seja sua ampla disponibilização, mas sua natureza e qualidade. Ela não nos causaria tantas dificuldades se não fosse tão absolutamente desvinculada de todas as outras preocupações que uma pessoa razoavelmente sensível, moral, bondosa e ambiciosa poderia ter além do sexo. No entanto, do modo como é hoje, a pornografia pede que deixemos para trás nossa ética, nosso senso estético e nossa inteligência quando a contemplamos, de forma a nos entregar totalmente ao mais estúpido tipo de luxúria. As tramas são ridículas, o diálogo, absurdo, os personagens, explorados, os ambientes, feios, as fotografias, voyeurísticas – daí a sensação de repugnância que toma conta de nós quando acabamos de utilizar a pornografia.

No entanto, é possível imaginar uma versão da pornografia que não nos obrigue a fazer uma escolha tão vívida entre sexo e virtude; uma pornografia na qual o desejo sexual é convidado a sustentar, ao invés de minar, nossos valores mais elevados. E algo não diferente desse conceito já pode ser encontrado, paradoxalmente, onde menos se imaginaria: na esfera da arte cristã.

Em alguns momentos de sua história, a arte cristã compreendeu que o desejo sexual não tinha que ser, necessariamente, inimigo da bondade, e poderia até, se propriamente conduzido, emprestar energia e intensidade a ela. Em pinturas da Madona de Fra Filippo Lippi ou de Sandro Botticelli, Maria não está apenas lindamente vestida e colocada contra um fundo encantador; ela também é bonita; na verdade, em muitos casos, indiscutivelmente sexy. Embora isso geralmente não seja tema das históricas discussões sobre arte e dos catálogos dos museus, a Mãe de Cristo pode ser, com frequência, sem dúvida excitante.

Ao deliberadamente gerarem este efeito, os artistas cristãos não estavam abandonando a cautela geralmente demonstrada por sua religião em relação à sexualidade; na verdade, estavam afirmando que, em determinados momentos, a sexualidade fosse convidada a dar apoio a projetos de edificação. Para que o público acreditasse que Maria era um dos mais nobres seres humanos que já haviam vivido – a personificação de bondade, autossacrifício, doçura e alegria –, os artistas avaliaram que talvez fosse útil que ela também fosse, da maneira mais subliminar e delicada possível, bastante atraente num sentido sexual.

A vantagem de fantasiar sexualmente com uma Madona de Botticelli, em vez de um produto típico da moderna indústria da pornografia, é que Botticelli não nos obriga a fazer uma desconfortável escolha entre nossa sexualidade e outras qualidades às quais aspiramos. Ele nos permite dar asas a nossos impulsos físicos enquanto permanecemos esteticamente sensíveis e moralmente conscientes. Dá-nos a chance de superar a lacuna entre sexo e virtude.

Essas paradigmáticas imagens de Maria nos dão uma pista de como seria uma pornografia esclarecida ou integrada do futuro. Ela idealmente excitaria nossa luxúria em contextos nos quais outros lados elevados da natureza humana também estivessem em evidência – nos quais as pessoas estivessem sendo espirituosas, por exemplo, ou demonstrando bondade, ou trabalhando duro ou sendo inteligentes – para que nossa excitação sexual pudesse se esvaziar, e

A sensualidade dando suporte à bondade e à virtude ao invés de minar nosso interesse nelas. Sandro Botticelli, *A Madona do livro*, c. 1483.

então aumentar nosso respeito por esses outros elementos de uma vida boa. A sexualidade já não precisaria vir agregada a estupidez, brutalidade, seriedade e exploração; poderia vir atrelada ao que há de mais nobre em nós.

2.

Esse novo tipo de pornografia teria o incalculável benefício de extinguir parte da autoaversão que o atual tipo tende a produzir quando terminamos de utilizá-la. Os meninos adolescentes, uma categoria particularmente obcecada pela pornografia, de um modo que preocupa muito suas próprias consciências e seus pais, já não precisariam escolher entre adorar olhar imagens sensuais e se preocupar com sua família, com os trabalhos escolares ou com as realizações esportivas. A nova pornografia combinaria excitação sexual com o interesse por outros ideais humanos. As comuns categorias animalescas e tramas banais, repletas de atores aparentemente incapazes de um discurso coerente, dariam lugar a imagens pornográficas e cenários baseados em qualidades como a inteligência (pessoas lendo, passeando entre os livros das bibliotecas), delicadeza (pessoas fazendo sexo oral umas com as outras com doçura e consideração), ou humildade (pessoas surpreendidas com olhar constrangido e tímido). Já não precisaria haver a dolorosa escolha entre ser humano e ser sexual.

A pornografia do futuro: poderíamos estar interessados em sexo *e* inteligência.
Becky no quarto, Jessica Todd Harper, 2003.

5. Adultério

i. Os prazeres do adultério

1.

É improvável que consigamos apreender esse famigerado assunto se primeiro não nos permitirmos reconhecer o quanto o adultério pode ser tentador e estimulante, especialmente depois de alguns anos de casamento e vários filhos. Antes de começarmos a afirmar que é "errado", temos de reconhecer o quanto ele pode ser profundamente excitante – pelo menos por algum tempo.

Portanto vamos imaginar mais uma situação. Nosso homem, Jim, está no escritório, entrevistando candidatos para um trabalho temporário de design gráfico. Ele já passou algumas horas entrevistando uma sucessão de jovens de cavanhaque, quando chega a candidata final. Seu nome é Rachel, tem 25 anos (ele tem quase 40 e está bastante consciente da morte) e está usando jeans, tênis e uma blusa verde-escuro com decote em V sobre, aparentemente, não muita coisa mais, provocando a imaginação em torno da andrógina parte superior de seu corpo. Eles falam sobre custos de impressão, margens, gramatura de papel e fontes – mas, claro, os pensamentos de Jim estão longe. Teríamos de temer pelo estado mental de um homem que *não* reagisse a essa figura de juventude, saúde e energia.

Rachel não tem nem um pouco da arrogância das supermodelos, do ressentimento contra a aparência que a beleza às vezes cria em mulheres jovens, ambiciosas e inteligentes que se ofendem com o fato de a maior parte do mundo estar mais interessada no seu físico do que em suas ideias. Ela tem o entusiasmo inocente e ingênuo de uma pessoa que foi criada numa fazenda distante, por pais amorosos e idosos, que nunca assistiu à televisão ou frequentou o ensino médio.

Descrever o que Jim quer como "sexo" é realmente reduzir as raízes de sua empolgação. O antigo sinônimo para sexo geralmente se aplica nesse caso, pois, em essência, Rachel está provocando em Jim o desejo de *conhecê-la*. Conhecer suas coxas, seus tornozelos e seu pescoço, naturalmente, mas também o guarda-roupa, os livros que ela tem na estante, o cheiro de seu cabelo depois do banho, seu temperamento quando era uma garotinha e as confidências que ela troca com as amigas.

Nessa ocasião, como em poucas outras na vida de Jim, o destino dá uma reviravolta incomum. Vários meses após o fim do projeto de Rachel com sua empresa, ele é convidado a ir a Bristol para participar de uma cerimônia de premiação no Holiday Inn, fora do perímetro do M4, com um de seus clientes – e descobre no saguão verde-limão, no início da noite, que Rachel também está lá. Ela já o esqueceu completamente, mas, após umas poucas dicas, retoma a habitual efusividade, e rapidamente aceita sua sugestão para que se encontrem no bar após a cerimônia. Como um assassino de primeira viagem, que intuitivamente sabe como distribuir as pedras no saco que contém o corpo, Jim manda um e-mail para sua esposa desejando boa-noite a ela e seus dois filhos e especificando que talvez não ligue para ela mais tarde – como geralmente faz nessas circunstâncias – porque a noite ameaça se prolongar.

Eles tomam uma taça de vinho no bar vazio por volta da meia-noite. Seu flerte é preciso e direto ao ponto. Sua audácia de homem de meia-idade, casado, tentando seduzir mulheres não deve ser confundida com confiança: é apenas o medo da morte, uma aterrorizada consciência dos poucos momentos como esse que ele terá oportunidade de experimentar novamente. É isso que dá a Jim a energia para prosseguir de maneiras que ele jamais ousaria fazer quando a vida parecia ter uma extensão ilimitada em que ele ainda podia se dar ao luxo de se sentir tímido e inseguro.

Eles trocam o primeiro beijo no corredor que conduz aos elevadores. Ele a pressiona contra a parede ao lado de um cartaz que anuncia uma taxa promocional para hospedagem familiar, com café da manhã grátis para as crianças no domingo. A língua dela acolhe a dele ansiosamente e seu corpo empurra ritmicamente o dele. Este logo se torna um dos melhores momentos da vida de Jim.

2.

Ele volta para casa e tudo continua como antes. Ele e Daisy colocam as crianças na cama, saem para jantar, discutem a necessidade de comprar um fogão novo, brigam e não fazem muito sexo.

Jim, é claro, mente sobre tudo que aconteceu. Vivemos numa época moralista. Nossa era permite que muitas coisas aconteçam antes do casamento; mas não aceita muito depois dele. Os jornais trazem uma sucessão de histórias sobre indiscrições sexuais de jogadores de futebol e políticos, e o tom dos comentários dos leitores mostra o tipo de reação que o deslize de Jim provocaria no cidadão comum. Ele seria rotulado de traidor, desprezível, cachorro e rato.

Esses rótulos são assustadores para Jim, mas ao mesmo tempo ele se pergunta se deveria sucumbir a esses moralismos fáceis. Vamos acompanhá-lo em seu ceticismo. Ao menos consideremos a ideia de que o que Jim fez com Rachel não foi exatamente errado. Na verdade, vamos mais fundo, sugerindo que – contrariamente à opinião pública – o verdadeiro erro está em outra parte: estranho seria *não ter* nenhum desejo de cometer adultério. Isso poderia ser considerado não apenas estranho, mas errado no sentido mais profundo da palavra, pois é irracional e contra a natureza. A completa recusa das possibilidades adúlteras representa um tremendo fracasso da imaginação, uma corrompida imperturbabilidade diante do espaço de tempo tragicamente curto que nos foi concedido sobre a terra, uma negligente consideração pela gloriosa realidade da nossa natureza, uma negação do poder que devem ter sobre o nosso ser racional gatilhos eróticos como o sedutor enlaçar de dedos durante encontros e o dissimulado pressionar de joelhos ao fim de refeições no restaurante, pelos sapatos altos e camisas azuis, por lingeries de algodão cinza e cuecas de lycra, por coxas macias e panturrilhas musculosas – pontos sensoriais tão dignos de reverência quanto os ladrilhos de Alhambra e a *Missa em Si menor*, de Bach. Será possível confiar em alguém que sinceramente não tenha mostrado nenhum interesse em ser infiel?

3.

A sociedade acredita que as pessoas casadas que descobrem que seus parceiros têm um caso têm todo o direito de ficar furiosas, de expulsá-los de casa, de cortar suas roupas e massacrar sua reputação ante os amigos. O adultério é motivo para que uma pessoa se sinta indignada e ultrajada e que o traidor precise pedir desculpas de formas extremas por suas horríveis ações.

Mas podemos propor que, por mais magoado que alguém esteja, a fúria diante da notícia da infidelidade do parceiro não é, realmente, garantida. O fato de o cônjuge ter a temeridade de imaginar, que dirá pôr em prática, que talvez fosse interessante enfiar a mão dentro de calças ou saias desconhecidas não deve ser tão surpreendente assim após uma década ou mais de casamento. Deveria mesmo haver a necessidade de pedir desculpas por um desejo que não poderia ser mais compreensível ou comum?

Ao invés de pedir que o "traidor" se desculpe, o "traído" deveria começar a pedir desculpas – desculpas por *serem* quem são, desculpas por envelhecerem, desculpas por às vezes serem entediantes, por forçarem o "traidor" a mentir porque a barreira da confiabilidade foi colocada proibitivamente alta e (já que entramos no assunto) por serem humanos. Com muita facilidade parece que o parceiro adúltero fez tudo errado, e o sexualmente puro não fez nada. Mas este é um entendimento restrito do que "errado" significa. Certamente o adultério vira manchete, mas há maneiras menores, embora não menos poderosas, de trair uma pessoa, por exemplo, não conversando com ela o bastante, parecendo distraído, ficando de mau humor – ou apenas deixando de evoluir e encantar.

4.

A pessoa que fica brava por ter sido "traída" está fugindo de uma verdade básica e trágica: não podemos ser tudo para outra pessoa. Mas, em vez de aceitar este pensamento horrível com honrada graça e melancolia, ela pode ser encorajada a acusar o "traidor" de estar moralmente em erro por encontrar falhas nela. No entanto o problema do adultério está nas loucas ambições do casamento moderno, com sua insana ideia de que uma pessoa poderia esperar, plausivelmente, oferecer uma solução sexual e emocional eterna para a vida de alguém.

Dando um passo atrás, o que torna o casamento moderno diferente de seus precedentes históricos é seu princípio fundamental de unir amor, sexo e família durante toda uma vida com *uma mesma pessoa*. Nenhuma outra sociedade foi tão rigorosa, tão esperançosa – e portanto tão desapontada – com o casamento.

No passado, essas três necessidades distintas – amor, sexo e família – eram sabiamente diferenciadas e separadas umas das outras. Os trovadores da Provença do século XII eram especialistas no amor romântico. Eram versados na dor inspirada pela visão de uma figura graciosa, na insônia ante a perspectiva de um encontro, no poder de umas poucas palavras ou olhares para provocar um elevado estado de espírito. Mas esses cortesãos não expressaram nenhum desejo de associar essas valorizadas emoções a intenções paralelas práticas, como criar uma família ou mesmo dormir com aqueles a quem amavam ardentemente.

Os libertinos da Paris do princípio do século XVIII eram comparavelmente devotados ao sexo: eles reverenciavam o prazer de desabotoar as vestes de uma pessoa pela primeira vez, a excitação de explorarem-se uns aos outros lentamente à luz de velas, a emoção subversiva de seduzir alguém secretamente durante uma missa. Mas esses aventureiros eróticos também compreendiam que seus prazeres pouco tinham a ver com o estabelecimento de um ambiente para o amor e a criação de uma casa cheia de filhos.

Quanto ao impulso de criar uma família, este projeto é conhecido da maior parte da humanidade desde os nossos primórdios na África Oriental. No entanto, em todo esse tempo, ele muito raramente levou as pessoas a pensar que precisaria estar associado a um constante desejo sexual ou a frequentes sensações de desejo romântico ante a visão do outro pai à mesa do café da manhã.

A independência, se não a incompatibilidade, de nossos lados sexuais, românticos e familiares foi considerada um aspecto natural e universal da vida adulta até que, na metade do século XVIII, nos países mais prósperos da Europa, um novo e excepcional ideal começou a se formar num segmento particular da sociedade. Esse ideal propunha que as pessoas casadas deveriam, daí para a frente, não apenas se tolerarem umas às outras pelo bem dos filhos; elas também deveriam se amar e desejar. Deveriam manifestar em seus relacionamentos o mesmo tipo de energia romântica dos trovadores e o mesmo entusiasmo sexual dos libertinos. O novo ideal colocou assim diante do mundo a persuasiva noção de que nossas necessidades seriam resolvidas de uma só vez, *com a ajuda de uma só pessoa.*

Não foi por coincidência que o novo ideal de casamento foi opressivamente criado e sustentado por uma classe econômica específica: os burgueses, cujo equilíbrio entre liberdade e restrição ele estranhamente espelhou. Numa economia que se expandia rapidamente graças a desenvolvimentos tecnológicos e comerciais, essa classe recentemente encorajada já não precisava aceitar as restritas expectativas das ordens inferiores. Com algum dinheiro sobrando para lhes prover relaxamento, advogados e mercadores burgueses poderiam elevar suas expectativas e esperar mais de uma parceira do que apenas alguém com quem sobreviver ao próximo inverno. Ao mesmo tempo, seus recursos não eram ilimitados. Não tinham o ilimitado lazer dos trovadores, cuja riqueza herdada lhes permitia passar, sem dificuldade, três semanas escrevendo uma carta celebrando a testa de suas amadas. Havia negócios e armazéns a administrar. A burguesia também não podia se permitir a arrogância social dos libertinos aristocráticos, cujo poder e status haviam criado neles uma confiança indiferente para partir o coração das pessoas e abalar suas famílias – bem como os meios para enxugar quaisquer consequências desagradáveis que suas excentricidades pudessem criar.

A burguesia, portanto, não estava nem esmagada demais a ponto de não acreditar no amor romântico nem isenta de necessidades para ser capaz de perseguir, sem limite, os envolvimentos eróticos e emocionais. O desejo de realização por meio do investimento em uma única pessoa em um contrato legal e eterno representava uma solução frágil para o equilíbrio entre necessidade emocional e restrição prática.

O ideal burgês produziu uma série de comportamentos-tabu que anteriormente teriam sido tolerados, se é que não completamente ignorados ou, pelo menos, não vistos como causa da destruição de um casamento ou de uma família. Uma amizade mórbida entre a esposa, o adultério ou a impotência – todos agora ganharam uma importância nova e de grande significado. A ideia de começar um casamento sem amor ou indiferente era tão ridícula para um burguês quanto o conceito de *não* ter amantes fora do casamento seria para um libertino.

O progresso da ambição romântica burguesa pode ser identificado na ficção. Os romances de Jane Austen ainda parecem reconhecidamente modernos porque suas aspirações para seus personagens espelham, e ajudaram a moldar, aquelas que nós mesmos temos. Como Elizabeth Bennet em *Orgulho e preconceito* ou Fanny Price em *Mansfield Park*, também ansiamos por conciliar nosso desejo de ter uma família segura com sentimentos sinceros por nossos cônjuges. Mas a história do romance também aponta para aspectos mais sombrios do ideal romântico. Os sem dúvidas dois maiores romances da Europa do século XIX, *Madame Bovary* e *Anna Karenina*, nos confrontam com duas mulheres que, como era típico de sua época e de suas posições sociais, anseiam por um complexo conjunto de qualidades em seus parceiros: elas querem que eles sejam ao mesmo tempo maridos, trovadores e libertinos. Mas no caso tanto de Emma quanto no de Anna, a vida lhes dá apenas o primeiro dos três. Elas estão presas em casamentos economicamente seguros e sem amor que, em épocas anteriores, seriam motivo de inveja e comemoração, mas que agora parece intolerável. Ao mesmo tempo, elas habitam um mundo burguês que não pode aprovar suas tentativas de ter relacionamentos amorosos fora do casamento. O suicídio final de ambas ilustra a irreconciliável natureza do novo modelo de amor.

5.

O ideal burguês não é totalmente uma ilusão. Existem, claro, casamentos que juntam as três vertentes de ouro da realização – romântica, erótica e familiar – e que jamais serão abalados pelo adultério. Não podemos dizer, como os cínicos às vezes se veem tentados a fazer, que casamento feliz é um mito. É infinitamente mais angustiante que isso: é uma possibilidade, só que muito, muito rara. Não há uma razão metafísica pela qual um casamento não possa honrar todas as nossas esperanças, só que as probabilidades estão esmagadoramente contra nós. Uma verdade trágica que deveríamos enfrentar calmamente, antes que a vida nos ensine do seu jeito brutal e a seu tempo.

ii. A estupidez do adultério

1.

Mas vamos mudar de lado novamente: se considerar o casamento a resposta perfeita a todas as nossas esperanças de amor, sexo e família é ingênuo e equivocado, considerar o adultério uma resposta às frustrações do casamento o é tanto quanto.

O que está essencialmente "errado" na ideia de adultério, assim como com certa ideia de casamento, é seu idealismo. Embora possa parecer à primeira vista uma atividade cínica e desanimadora com a qual se envolver, o adultério na verdade sugere uma convicção que talvez possamos reorganizar magicamente as deficiências do casamento com uma aventura paralela. No entanto, dar crédito a essa noção é não entender as condições que a vida impõe sobre nós. É impossível dormir com alguém *fora* do casamento sem estragar as coisas que se valorizam *dentro dele* – assim como é impossível manter a fidelidade no casamento e não perder alguns dos maiores e mais importantes prazeres sensoriais ao longo do caminho.

2.

Não existe uma resposta para as tensões do casamento, se com "resposta" queremos implicar um acordo no qual não haja perda, e no qual todo elemento positivo importante para nós puder coexistir com todos os outros sem se prejudicarem.

As três coisas que queremos nesta esfera – amor, sexo e família – prejudicam-se e afetam-se umas às outras de maneiras diabólicas. Amar uma pessoa põe em risco nossa capacidade de fazer sexo com ele ou ela. Ter um encontro secreto com uma pessoa a quem não amamos, mas que consideramos atraente, põe em risco o relacionamento com a pessoa que amamos, mas que já não nos excita. Ter filhos põe em risco tanto o amor quanto o sexo e, no entanto, negligenciar as crianças para nos concentrarmos em nosso relacionamento e nossas emoções sexuais significa colocar em risco a saúde e a estabilidade mental da próxima geração.

A frustração gera, periodicamente, o impulso de buscar uma solução utópica para essa confusão. Talvez um casamento aberto funcione, pensamos. Ou uma política de segredos. Ou uma renegociação anual de nosso contrato. Ou mais tempo de creche. Tudo isso está fadado a fracassar, porque a perda está inscrita nas regras da situação. Se dormirmos com outras pessoas, ameaçaremos nosso amor e a saúde psicológica de nossos filhos. Se não fizemos isso, ficaremos insípidos e perderemos as excitações de novos relacionamentos. Se mantivermos um caso em segredo, ele nos corroerá por dentro e tolherá nossa capacidade de receber o amor do outro. Se contarmos a verdade, nosso parceiro entrará em pânico e jamais conseguirá superar nossas aventuras sexuais (mesmo que elas nada signifiquem para nós). Se concentrarmos tudo em nossos filhos, eles acabarão por seguir suas próprias vidas, deixando-nos infelizes e solitários. Mas se ignorarmos nossos filhos por causa de buscas românticas enquanto casal, os marcaremos, e eles se ressentirão para sempre. Como um lençol curto, ao buscarmos aperfeiçoar ou melhorar um lado de nossa vida conjugal, apenas descobriremos e atrapalharemos todos os outros.

3.

Ao entrar em um casamento, qual deveria ser a mentalidade realista de uma pessoa? Que votos poderíamos fazer ao parceiro que permitiria uma chance sincera de fidelidade? Certamente, algo bem mais cauteloso e pessimista do que as usuais platitudes, por exemplo: "Eu prometo me desapontar com você, e somente com você. Prometo fazer de *você* o único recipiente do meu arrependimento, em vez de experimentar os arrependimentos que acompanhariam os múltiplos casos e uma vida de Don Juan. Investiguei as diferentes opções de infelicidade, e foi com você que decidi me comprometer." Estas seriam as generosas e delicadas promessas não românticas que os casais deveriam fazer uns aos outros no altar.

Consequentemente, um caso extraconjugal seria uma traição não da esperança irrealista, mas de nossos votos de nos decepcionarmos de uma determinada maneira. O parceiro traído não se queixaria, furiosamente, de que esperava que o outro fosse feliz com ele ou ela por si. Ele poderia, mais pungente e legitimamente, chorar: "Eu esperava que você fosse fiel ao tipo específico de desapontamento que eu represento."

4.

Quando a ideia de um casamento baseado em amor emergiu no século XVIII, ela substituiu uma razão mais prosaica e mais antiga para o noivado: que uma pessoa deveria se casar porque tinha chegado à idade certa para isso, porque tinha identificado alguém cuja visão ela poderia suportar, porque não queria ofender seus pais e vizinhos, porque tinha alguns bens a proteger e porque desejava criar uma família.

De acordo com a nova filosofia do casamento, no entanto, somente uma razão para o casamento era considerada legítima: amor profundo. Entendia-se que essa condição implicava uma variedade de sentimentos e sensações obscuras, mas totêmicas – que a pessoa não suportaria ficar longe da vista da amada, que seria fisicamente atraída por sua aparência, que estaria afinada com cada movimento de sua mente, que desejaria ler poesia com ela ao luar, e que estaria pronta para fundir sua alma com a dela.

Em outras palavras, o casamento deixou de ser uma *instituição* para se tornar a *consagração de um sentimento*; passou de rito de passagem sancionado externamente para se tornar uma resposta internamente motivada a um estado emocional.

O que justificava a mudança, aos olhos de seus modernos defensores, era um novo e intenso medo da "inautenticidade", um fenômeno psicológico no qual os sentimentos internos de uma pessoa diferiam dos que eram esperados dele ou dela pelo mundo exterior. O que a antiga escola chamaria respeitosamente de "encenação" foi agora recategorizado como "mentira" – enquanto "fingir que as coisas eram civilizadas" foi agoramais melodramaticamente recaracterizado como "trair a si mesmo". Esta ênfase em alcançar a congruência entre o eu interno e o externo criou qualificações novas e rígidas do que um casamento decente deveria implicar. Sentir apenas uma afeição intermitente pelo companheiro, fazer um sexo medíocre seis vezes ao ano, manter um casamento pelo bem-estar dos filhos – tais compromissos eram considerados abdicações do fato de se ser completamente humano.

5.

Quando jovens adultos, a maioria de nós tem um respeito intuitivo pela visão de um casamento baseado no amor. Dificilmente conseguiremos evitar isso, dada nossa cultura voltada para ele, e, no entanto, com os anos, uma pessoa normalmente começa a questionar se esta não é uma fantasia sonhada por um grupo de autores e poetas ingênuos e imaturos, algumas centenas de anos atrás – e se não se deveria dar lugar àquela antiga visão de instituição que serviu muito bem à humanidade durante a maior parte de sua história.

Esta reavaliação baseia-se na percepção de quanto nossos sentimentos podem ser caóticos e enganadores. Podemos, por exemplo, ver um rosto atraente quando atravessamos a rua e querer mudar a vida de ponta-cabeça. Quando uma pessoa tentadora com quem conversamos eroticamente num chat na internet sugere um encontro num hotel de aeroporto, podemos nos sentir tentados a mandar nossa vida pelos ares em troca de algumas horas de prazer. Há momentos em que nos sentimos tão irritados com nosso parceiro que gostaríamos de vê-lo atropelado por um carro. Mas dez minutos depois, lembramos que preferiríamos morrer a ficar sozinho. Durante o tédio dos fins de semana, podemos ficar desesperados para que nossos filhos cresçam, percam a vontade de pular do trampolim e nos deixem em paz para sempre para que possamos ler uma revista e curtir uma sala de estar arrumada – e então, um dia depois, no escritório, queremos gritar de angústia porque uma reunião parece que vai demorar mais do que o previsto e não poderemos botá-los na cama.

Os defensores da visão do casamento baseado no sentimento veneram as emoções por sua sinceridade e autenticidade, mas só conseguem fazer isso porque deixaram de olhar atentamente para o que efetivamente passa pelo caleidoscópio emocional da maioria dos seres humanos de qualquer época: todas as forças contraditórias, insanas, sentimentais e hormonais que nos puxam para centenas de direções enlouquecidas e inconclusivas. Honrar cada uma dessas emoções seria anular qualquer chance de uma vida coerente. Não poderíamos nos sentir realizados se não fôssemos inautênticos em parte do tempo, ou talvez em grande parte dele – inautênticos em relação a um desejo passageiro de esganar os filhos, de envenenar a esposa ou de terminar o casamento por causa de uma discussão sobre a troca de uma lâmpada.

O romantismo chamou a atenção para os perigos da inautenticidade, porém os perigos não serão menores se tentarmos sempre alinhar nossa vida externa com nossas emoções. Damos aos nossos sentimentos um peso grande demais quando queremos que eles sejam nossos guias nos importantes projetos de nossa vida. Somos proposições químicas caóticas, em urgente necessidade de princípios básicos aos quais possamos nos referir durante nossos breves períodos racionais. Deveríamos nos sentir agradecidos e seguros pelo conhecimento de nossas circunstâncias externas estarem frequentemente desalinhadas com o que sentimos; é sinal de que provavelmente estamos no rumo certo.

6.

Podemos acolher o casamento como uma instituição que resiste, a cada dia, sem parecer ter muito respeito pelo que seus participantes estão sentindo. Essa benigna negligência pode refletir melhor os desejos de longo prazo de seus participantes do que um sistema que a cada hora toma seu pulso emocional e ajusta sua condição em conformidade com ele.

O casamento também é melhor para as crianças. Ele as poupa da ansiedade diante das consequências das discussões de seus pais: podem tomar como certo que seus pais gostam suficientemente um do outro mesmo brigando e lutando todos os dias, como as crianças fazem no parquinho.

Em um casamento considerado bom, os dois cônjuges não deveriam se culpar por suas infidelidades; deveriam se sentir orgulhosos, essencialmente, por terem conseguido permanecer comprometidos com sua união. Os relacionamentos frequentemente começam com uma ênfase moral no lugar errado, como se a ânsia de se afastar fosse repugnante e impensável. Mas, na realidade, o que é maravilhoso e digno de honra é a habilidade de ficar, e, no entanto, isso geralmente é tomado como certo, como o estado normal das coisas. Assistir à vida passar de dentro da gaiola do casamento sem pôr em prática os impulsos sexuais é um milagre da civilização e da bondade, algo pelo qual ambos deveriam agradecer todos os dias.

Os casais fiéis deveriam reconhecer o tamanho do sacrifício que estão fazendo pelo amor e pelos filhos – e deveriam poder sentir orgulho de seu valor. Não há nada de normal ou particularmente agradável na renúncia sexual. A fidelidade merece ser considerada uma façanha e ser constantemente elogiada – de preferência com algumas medalhas e aclamação pública, em vez de ser considerada uma regra corriqueira, que deixaria o outro enraivecido se alguma vez fosse quebrada por um caso. Um casamento leal deveria sempre manter dentro de si a consciência da imensa paciência e generosidade que as duas partes estão mostrando uma à outra ao conseguirem não dormir por aí (e, aliás, ao evitarem de matar uma à outra). Elas não deveriam se enfurecer ao descobrirem um adultério, mas se sentirem admiradas e abençoadas pelos períodos de fidelidade e calma que, contra todas as probabilidades, conseguiram manter em outras ocasiões.

IV. Conclusão

I.

Seria tão melhor se não tivéssemos desejo sexual. Durante a maior parte de nossa vida, ele só representa problemas e angústias. Em nome dele, fazemos coisas revoltantes com pessoas de quem, na verdade, não gostamos e acabamos nos sentindo nojentos e pecaminosos. As pessoas que desejamos geralmente nos dispensam por nos considerarem feios demais, ou não sermos seu tipo; os bonitinhos quase sempre já têm um namorado ou namorada. A maior parte da vida adulta envolve rejeição, música triste e pornografia ruim. É um milagre quando finalmente alguém se compadece e nos dá uma chance; mas, mesmo quando isso acontece, não muito tempo depois já começamos a nos interessar pelas pernas e cabelos de outras pessoas. Seria tão bom se não houvesse sexo – bom como são os meninos e meninas de 7 anos, cheios de doçura e encantamento com a vida dos saguis e veados. Quando envelhecemos, podemos esperar o terror e a humilhação de não conseguir um bom desempenho, de olhar com luxúria para pulsos e tornozelos de pessoas que ainda eram bebês quando estavámos na universidade, e assistir ao lento colapso de nosso corpo, antes viçoso e elástico. Num dia ruim, a coisa toda parece feita para nos derrotar.

2.

Mas há outro lado, claro; um lado de êxtase e descoberta. Talvez o melhor momento para percebermos isso seja numa noite clara de verão numa cidade grande, por volta das 18h30, quando o trabalho em boa parte já acabou e as ruas cheiram a diesel, café, fritura, asfalto quente e sexo. As calçadas fervilham com pessoas em ternos, vestidos estampados de algodão e jeans largos. As luzes nas pontes já se acenderam, os aviões dão piruetas no céu, todas as pessoas sensatas estão voltando para casa nos subúrbios para a hora do banho das crianças; mas para os que ficam, a noite promete calor, intriga e travessuras.

O sexo nos faz sair de casa e de nós mesmos. Em nome dele, abrimos nossos horizontes e nos misturamos imprudentemente com membros aleatórios de nossa espécie. Pessoas que de outro modo se manteriam para si mesmas, que acreditam tacitamente que nada tinham em comum com a classe ordinária da humanidade, entram em bares e discotecas, sobem nervosamente as escadas de cortiços, esperam em ambientes desconhecidos, gritam para se fazerem ouvir acima da vibração da música e conversam educadamente com mães respeitáveis, em salas de estar decoradas com enfeites e fotos de premiações escolares, enquanto no segundo andar um filho adulto veste uma cueca cinza nova.

Em nome do sexo, expandimos nossos interesses e pontos de referência. Para nos ajustarmos aos nossos amantes, ficamos fascinados com a história dos móveis suecos do século XVIII, aprendemos sobre ciclismo de longa distância, descobrimos a porcelana sul-coreana. Por sexo, um carpinteiro robusto e tatuado se sentará em um café com uma delicada aluna de doutorado com franja, e ouvirá parcialmente uma torturante explicação sobre a palavra grega *eudaimonia*, deixando seus olhos traçarem padrões em sua impecável pele de porcelana, enquanto alguém grelha salsichas ao fundo.

Sem o sexo haveria muito menos coisas a fazer. Não teríamos joalherias, não bordaríamos rendas, não serviríamos a comida em travessas de prata, não ergueríamos quartos de hotel em pontões sobre lagoas tropicais. A maior parte da economia deixa de ter sentido sem o sexo como força motora ou agente organizador. As energias dos pregões, os vestiários com folhas de ouro da Dior na Bond Street, os encontros no Museu de Arte Moderna, os bacalhaus negros servidos no terraço dos restaurantes japoneses – para que serve tudo isso senão para ajudar nos processos que acabarão por levar duas pessoas a fazer amor num quarto escuro enquanto sirenes gritam na rua abaixo?

Somente pelo prisma do sexo o passado torna-se apropriadamente inteligível. A estranheza aparente da Roma Antiga e da China da Dinastia Ming não poderia, afinal, ter sido tão grande, apesar das barreiras da língua e da cultura, porque ali também as pessoas conheciam a força das faces coradas e dos tornozelos bem-torneados. Durante o reinado de Montezuma I, no México, ou de Ptolomeu II, no Egito, deve ter sido mais ou menos igual entrar em alguém e suspirar ante a pressão de seu corpo contra o nosso.

Sem o sexo seríamos perigosamente invulneráveis. Poderíamos achar que não éramos ridículos. Não conheceríamos a rejeição e a humilhação tão de perto. Poderíamos envelhecer respeitavelmente, nos acostumaríamos aos privilégios e acharíamos que compreendíamos o que estava acontecendo. Poderíamos sumir apenas nos números e palavras. É o sexo que cria o estrago necessário nas hierarquias comuns de poder, status, dinheiro e inteligência. O professor se colocará de joelhos e implorará para ser açoitado pela trabalhadora rural sem estudos. O CEO perderá a razão diante da estagiária; já não importará que ele comande alguns bilhões de dólares e que ela alugue um quartinho no porão. Sua única prioridade será o prazer dela; por ela ele aprenderá os nomes de bandas que não conhece, entrará numa loja e comprará um vestido amarelo-limão que não caberá nela; será delicado onde antes era indiferente, reconhecerá suas idiotices e sua humanidade; e quando tudo estiver terminado, ele se sentará em seu caro carro alemão do lado de fora da imaculada casa de sua família e chorará incontrolavelmente.

Talvez até mesmo abraçaremos a dor que o sexo nos causa, pois sem ela não conheceríamos tão bem a arte e a música. Haveria muito menos sentido nos *Lieder* de Schubert e na *Ophelia* de Natalie Merchant, nas *Cenas de um casamento*, de Bergman, e na *Lolita* de Nabokov. Estaríamos muito menos familiarizados com a agonia – e, portanto, muito mais cruéis e menos prontos a rir de nós mesmos. Quando já se tiver dito tudo de desprezível, mas justo, sobre nossos infernais desejos sexuais, ainda poderemos celebrá-los por não nos permitirem esquecer por mais do que uns poucos dias o que realmente está envolvido no viver uma vida humana encarnada, química e imensamente insana.

Dever de casa

Vários livros, artigos, filmes e conversas contribuíram para as ideias contidas neste livro. Os mencionados a seguir foram úteis.

I. Introdução

O pessimismo sobre a natureza humana, inclusive o sexo, é belamente explorado por Pascal em seus *Pensamentos* (Martins Fontes, 2005), por Arthur Schopenhauer em seus *Aforismos para a sabedoria de vida* (Martins Fontes, 2006) e por John Gray em *Cachorros de palha* (Record, 2005). Os três autores partilham a ideia de que jamais se deveria confundir animar uma pessoa com dizer algo animador a ele ou ela. Como eles reconhecem, é muito melhor dizer coisas radicais e amargas, mas que levem à reformulação das expectativas e, com isso, despertem gratidão pelas pequenas compaixões.

II. Os prazeres do sexo

Há muito a se aprender sobre nossas fantasias no livro de Nancy Friday, *My secret garden* (Meu jardim secreto), e no *The Hite Report* (O relatório Hite), de Shere Hite. Os capítulos de Friday sobre incesto, prostituição e estupro são particularmente interessantes.

Os fetiches são amplamente documentados e sistematizados por Richard von Krafft-Ebing em *Psychopathia Sexualis* e por Havelock Ellis em seus *Studies in the Psychology of Sex* (*Estudos sobre a psicologia do sexo*). Infelizmente, os dois livros são muito entediantes.

In your Face: The New Science of Human Attraction (Na sua cara: a nova ciência da atração humana), de David Perrett, é uma boa introdução à perspectiva evolutivo-biológica sobre a beleza e o sexo. *The Nude* (O nu), de Kenneth Clark, é surpreendente nos temas de beleza e desejo. Sobre Ingres, a monografia *Ingres and his Critics* (Ingres e sua crítica) de Andrew Carrington Shelton é uma fonte proveitosa.

Abstraktion und Einfühlung (Abstração e empatia), de Wilhelm Worringer, apresenta sua reflexiva teoria sobre a psicologia do gosto artístico.

A importância da beleza e sua relação com a virtude e a moralidade são primorosamente exploradas por John Armstrong em *The Secret Power of Beauty* (O poder secreto da beleza).

O melhor filme já feito sobre o fetichismo é *O joelho de Claire,* de Eric Rohmer.

Mais informações sobre Natalie Portman podem ser obtidas no site www.natalieportman.com, e sobre Scarlett Johansson, em www.scarlettjohansson.org.

A marca italiana Marni – www.marni.com – produz alguns dos melhores mocassins do mundo.

III. Os problemas do sexo

As dificuldades que enfrentamos com o sexo nos relacionamentos duradouros estão entre os tópicos tratados em uma coleção de ensaios chamada *Rethinking Marriage* (Repensando o casamento), editada pelo psicanalista Christopher Clulow. Freud também é interessante em muitos pontos, especialmente em seus "Três ensaios sobre a teoria da sexualidade" (in Casos de histeria, três ensaios sobre a teoria da sexualidade. Imago, 2011).

Human sexual inadequacy (A inadequação sexual humana), de William Masters e Virginia Johnson, é fascinante, sua leitura parece um romance sobre a América do século XX disfarçado de guia sobre como superar a ejaculação precoce, a impotência e o vaginismo.

Casais que estejam procurando reavivar seu relacionamento deveriam considerar se hospedar em um hotel da rede Park Hyatt: www.park.hyatt.com. Previsível e infelizmente, isso pode ser desastrosamente caro.

Mais informações sobre Manet e os aspargos podem ser encontradas em *Manet, inventeur du moderne* (Manet, inventor do moderno), de Stéphane Guégan e John Lee.

Aprendi sobre a pornografia em www.pornhub.com. Bons discernimentos sobre a censura e a justificativa católica para a repreensão em *The Spanish Inquisition* (A Inquisição espanhola), de Henry Kamen. Cécile Laborde discute o *hijab* em *Critical Republicanism: the Hijab Controversy and Political Philosophy* (Republicanismo crítico: a controvérsia do *hijab* e a filosofia política).

Algumas das imagens superlativas no livro de Jessica Todd Harper, *Interior Exposure* (Exposição interior) sugerem como a pornografia do futuro pode ser.

O casamento e o adultério são abordados no clássico estudo de Tony Tanner, *Adultery and the Novel* (O adultério e o romance). Mais uma vez, John Armstrong é significativo neste assunto em

Conditions of Love (Condições do amor) – assim como Gustave Flaubert, claro, em *Madame Bovary*. De minha parte, não mudei de ideia sobre algumas das coisas que escrevi em meu primeiro livro, *Ensaios de amor* (L&PM, 2011).

Em especial, o tema do amor e do casamento é mais bem tratado por Ingmar Bergman em seu filme *Cenas de um casamento*, que todos os futuros cônjuges deveriam ser obrigados a assistir, por decreto governamental, antes de se casarem.

IV. Conclusão

Os suados encantos da sexualidade são mais bem experimentados em Manhattan no fim de julho. O álbum *Ophelia*, de Natalie Merchant, é uma opção perfeita para qualquer um que tenha acabado de se apaixonar. Arthur Schopenhauer (veja as observações na Introdução) também não é uma má escolha.

Créditos das imagens

O autor e a editora gostariam de agradecer às pessoas e instituições abaixo pela permissão de reprodução das imagens utilizadas nesse livro

Kama Sutra. Gravura do livro, Índia, fim do século XVIII/início do século XIX. Coleção particular. Foto: Werner Forman.

Masaccio, *Adão e Eva expulsos do Paraíso*. 1427. Capela Brancacci, Santa Maria Del Carmine, Florença. Foto: The Bridgeman Art Library.

Banheiro de avião © Rex Features.

Relógio de pulso de um cavalheiro, década de 1940, de Vacherin Constantin de Genebra.

Mocassim feminino Baffin, 2011, de Bertie Shoes.

Comparação de dois rostos femininos. Placa III, figura G de *In your face: The new science of human attraction* [Na sua cara: a nova ciência da atração humana], 2010, de David Perrett. Reproduzido com autorização do autor.

Comparação entre dois rostos masculinos, ibid., p. 81, figura 4.5.

Jean-Augustine-Dominique Ingres, *Madame Antonia Devaucay de Nittis*, 1807. Museu Condé, Chantilly. Foto: The Bridgeman Art Library.

Vestido de seda verde estampado, de Marni Edition.

Blusa de seda rosa e preta com laçarote, de D&G Dolce & Gabbana.

Scarlett Johansson © Rex Features.

Natalie Portman © Getty Images.

Fachada da igreja de Santa Prisca e São Sebastião, Taxco © Mone Rosales/Fotolia.

Agnes Martin, *Friendship* [Amizade], 1963. Folha de ouro cortada e gesso sobre tela. Parte de presente prometido a Celeste e Armand P. Bartos, MoMA, Nova York © 2011. Agnes Martin/DACS, Londres. Foto: Scala, Florença.

Caravaggio, *Judite e Holofernes*, 1599. Palazzo Barberini, Roma. Foto: The Bridgeman Art Library.

Quarto de luxo no hotel Park Hyatt, Tóquio. Foto: cortesia do Park Hyatt, Tokyo.

Édouard Manet, *Aspargos*, 1880. Museu Wallraf-Richartz, Colônia. Foto: Erich Lessing/akg-images.

"Demosntração da 'técnica do aperto'". Figura 4 de William Masters e Virginia Johnson, *Human sexual inadequacy* [A inadequação sexual humana] (Little Brown and Co., 1970).

Grupo de mulheres, Yazd, Irã © DB Images/Alamy.

Meninas pegando sol, Bondi Beach, Austrália © Oliver Strewe/ Lonely Planet Images.

Sandro Botticelli, *Madona do livro*, 1483. Museo Poldi Pezzoli, Milão. Foto: The Bridgeman Art Library.

Becky in the den, 2003 © Jessica Todd Harper.

Anotações

Se você gostou deste livro e quer ler mais sobre as grandes questões da vida, pode pesquisar sobre os outros livros da série em www.objetiva.com.br.

Se você gostaria de explorar ideias para seu dia a dia, THE SCHOOL OF LIFE oferece um programa regular de aulas, fins de semana, sermões seculares e eventos em Londres e em outras cidades do mundo. Visite www.theschooloflife.com

Como viver na era digital
Tom Chatfield

Como pensar mais sobre sexo
Alain de Botton

Como mudar o mundo
John-Paul Flintoff

Como se preocupar menos com dinheiro
John Armstrong

Como manter a mente sã
Philippa Perry

Como encontrar o trabalho da sua vida
Roman Krznaric

Impressão e Acabamento: